Voor Marie Cécile, Cathelijne en Juliette

Henk Verlage

# De Gemene Gratie

Roman

Ad. Donker

# Brabantse beslommeringen

Een hogedrukspuit is een precisie-instrument. In de handen van kinderen of werksters gebeuren er steevast ongelukjes, die slechts door schilders of stukadoors en dus ten koste van onbehoorlijke bedragen gerepareerd kunnen worden. Maria en ik zaten dan ook uiterst voldaan op ons terras naar de achterkant van ons huis te kijken, die wij die zondag onder handen hadden genomen.

'Hoe lang gaan we hier eigenlijk nog mee door?'

Maria heeft ooit Nederlands en filosofie gestudeerd en daar de gewoonte aan overgehouden zich met verontrustende nauwkeurigheid uit te drukken. De vraag sloeg dan ook niet op de arbeid van de dag, maar op de eventuele verkoop van het huis, die met enige regelmaat ter sprake kwam. Bovendien, de vraag zo gesteld was nog de meest positieve variant, bepaald minder was:

'Hoe lang ga je hier eigenlijk nog mee door?'

of

'Hoe lang denk je hier eigenlijk nog mee door te gaan?'

Nog minder was:

'Hoe lang denk je eigenlijk, dat we hier nog mee door moeten gaan?'

En alle alarmbellen gingen bij mij rinkelen bij de formulering:

'Hoe lang denk je eigenlijk, dat ik hier nog mee doorga?'

Ik nam een kloeke slok rosé (Domaine (de) la Colombette, Coteaux du Libron), telde in gedachten tot twintig, een goede gewoonte die in vijfendertig jaar huwelijk vanzelf is ontstaan, en zei:

'Je hebt misschien wel gelijk, ik zal morgen Q. eens bellen.'

Zo gezegd, zo gedaan. Makelaarskantoor Q. probeerde in de streek de wat spannender huizen te verhandelen. Toen ik de volgende morgen belde, zei mevrouw Q., die de telefoon bewaakte, dat 'ze' die middag nog wel tijd hadden. Toen 'ze' die middag inderdaad verschenen, bleek het om Q. père et fille te gaan: een elegante meneer in een fraai tweedjasje en zijn buitengewoon fraaie dochter, eveneens makelaar.

Q. had overduidelijk wel eens meer een huis gezien in zijn leven. Niet dat hij ontevreden was over wat wij in de aanbieding hadden, zeker niet, maar zijn echte belangstelling werd toch pas gewekt bij het aanschouwen van het pad van stapstenen, dat door het water van ons ven liep naar het eilandje daarin en dat ontworpen was door zijn beroemde naamgenoot de architekt Q..Q. deed nog wel een poging om de familierelatie met die andere Q. aan ons uit te leggen, maar toen overduidelijk werd dat zelfs zijn dochter zijn uitleg wat zwakjes vond, kwamen wij ter zake. Over de vraagprijs en het daarin te verwerken wisselgeld werden wij het snel eens. In de loop van die week werden door Q. fille foto's gemaakt en de brochure in elkaar gedraaid. Daarna kreeg 'het verkoopproces een geheel eigen dynamiek', anders gezegd, verloren wij volledig de greep op het gebeuren.

❦

Waarom was, nog wel aan het eind van zo'n prachtige zomer als die van 2003, de verkoop van ons huis aan de orde?

Vijftien jaar daarvoor hadden wij ons huis, een verbouwde boerderij met iets meer dan een hectare grond, gelegen in de Kempen bij Hilvarenbeek, gekocht om er iets paradijselijks van te maken. Het huis was al twee keer eerder verbouwd, maar niet zodanig dat de bedenksels van de voorgangers niet gemakkelijk afgebroken konden worden. De grond bestond voornamelijk uit weiland — een uitdagend blanco blad — maar wel met als serieus bezwaar dat de buren, praktiserende boeren, er jarenlang veel te veel drijfmest op uitgereden hadden, waardoor de grond niet zonder meer geschikt was om er een tuin op te maken.

Na vijftien jaar hadden wij onze plannen met huis en tuin inmiddels wel verwezenlijkt; het onderhoud van huis en tuin begon professionele vormen aan te nemen, terwijl de uitdaging was verdwenen.

Daarnaast ging de verpaupering van het Brabantse platteland ons steeds meer tegenstaan. De meeste boeren om ons heen waren in de loop van die vijftien jaar gestopt en hadden hun land aan allerlei onduidelijke lieden verkocht of verpacht. Waar in onze herinnering vroeger ons uitzicht bestond uit weilanden met koeien, graanvelden en akkers met bloeiende aardappels, keken wij nu uit op onafzienbare velden met foeilelijke coniferen en miezerige beukenboompjes, vastgebonden aan uitgeslagen bamboestokken. Bovendien werden deze misbaksels overvloedig bespoten met — ongetwijfeld clandestien in België gekochte — agressieve verdelgingsmiddelen. Zelfs toen twee van onze buren kale plekken op hun hoofd kregen, leidde dat niet tot inkeer, maar werd iemand ingehuurd om te spuiten. Kempenaren worden niet oud en overlijden over het algemeen aan nare ziektes.

Ook was er inmiddels een minicamping in de buurt gekomen, waar stadsproletariaat in rare kledij met een krat naast zich en een flesje in de hand op een afgetrapt veldje bier zat te hijsen. Natuurlijk was de begroeiing van onze tuin hier inmiddels op aangepast, maar het feit dat verder op zoveel lelijks bestond, bleef aan ons knagen. Zou het daarbij gaan om boeren, die door het beleid van Brussel en Boerenleenbank hadden moeten stoppen, dan was enige compassie misschien wel gepast geweest. Echter, de meeste boerderijtjes waren inmiddels verkocht aan minkukels, die hun uitkering aanvulden met de opbrengst uit schimmige bezigheden als het fokken van rashonden zonder stamboom, het rondbrengen van huis-aan-huisblaadjes of het rondrijden van toeristen met paard en wagen. Eigenlijk alleen onze achterbuurman, die zijn boerderij had opgedoekt om groundsman te worden op de nabij gelegen golfbaan, vormde daarop een gunstige uitzondering.

Het allerbelangrijkste was echter dat ik inmiddels met pensioen was gegaan en wij er beiden niets voor voelden om onze nieuw verworven vrijheid aan de tucht van het noodzakelijke werk in een heel grote tuin te onderwerpen. Piet, onze tuinman, had bovendien laten merken dat hij toch wel aan zijn laatste jaren als tuinman bezig was en tuinlieden zijn op het platteland nu eenmaal dun gezaaid, ook omdat in landelijke gebieden een ww- of wao-uitkering een vorstelijk inkomen betekent.

Kortom, wij waren er beiden heilig van overtuigd dat het verstandig zou zijn er binnen een paar jaar een punt achter te zetten.

❦

Gelukkig had de firma Q. voldoende ervaring met dit soort zielenroerselen en gaven zij ons het gevoel dat wij het perfecte moment gekozen hadden om iemand anders erg gelukkig met ons huis te maken. De door Q. fille gemaakte brochure versterkte dit gevoel enorm: wij waren ontroerd toen wij zagen dat onze schepping af was en welk een schoonheid wij hadden gecreëerd.

Onze vraag aan de Q's om het toch vooral kalm aan te doen werd bovendien helemaal niet serieus genomen, aangezien dit argument over het algemeen gebruikt schijnt te worden door lieden die juist bijzonder veel haast hebben.

Die donderdag belde Q.:

'Kan ik vanmiddag langskomen met een kijker?'

'Natuurlijk, maar u overvalt ons wel een beetje.'

Vervolgens begon Q. omstandig uit te leggen, dat hij de man al langer kende, dat deze al een hele tijd — tot in België toe — aan het zoeken was en het huis zeker kon betalen. Bovendien zei Q. dat de man alleen kon beslissen, omdat hij in zoverre ongebonden was, dat hij een lat-relatie had met zijn ex-echtgenote. Vooral dat laatste maakte indruk op ons, maar het is er nooit van gekomen de voordelen van deze moderne samenlevingsvorm eens rustig te bespreken.

Om drie uur zouden ze komen en om kwart voor drie verliet Maria met onze twee cocker spaniëls het pand. Omdat zij nogal kieskeurig is, al helemaal als het er om gaat wie over de vloer mag komen en omdat types die je huis willen kopen over het algemeen de ballotage niet overleven, leek ons dit de beste oplossing.

De kijker bleek een goed doorvoede veertiger te zijn van het type rondborstige Brabander; casual gekleed in katoenen broek, sneakers, T-shirt en een ruimvallend overhemd van het merk Polo. Dat was een goed voorteken, omdat zijn kleren dus niet door zijn moeder gekocht werden en ook niet in de winkel in het dorp, maar dat lag natuurlijk ook voor de hand bij iemand, die zoiets geavanceerds als een lat-relatie met zijn ex-echtgenote overhoop had gehaald. Dit was van belang omdat ons huis naar onze ervaring toch te weinig landelijk ingericht was om de gemiddelde dorpeling te kunnen behagen.

Anderzijds hoopten wij wel op geïnteresseerden uit Brabant, omdat wij ons huis niet een- twee-drie aan een Randstedeling verkocht zagen worden, vanwege het feit, dat het zo Brabants ruikt in Brabant. Decennia lang worden er gigantische hoeveelheden varkensmest, koeienpoep en kippenstront op elk stukje Brabant dat niet bebouwd of verhard is, uitgestort, waardoor dat typische Brabantse parfum ontstaat, een beetje zoetig en als de beesten niet met maïs of brokken, maar met bieten gevoerd worden, ook een beetje kruidig en altijd met die 'tonen van overrijpe Camembert'. Echte Brabanders zijn er aan gehecht, ze ruiken het niet meer, maar ze missen het als het er niet is. Neem, om eens een goede raad te geven, als de maïs van het veld is nooit een houtduif van een Brabantse jager aan. Na de oogst worden de gierkelders, die dan ongeveer overlopen, onmiddellijk ruimhartig op de akkers geleegd en de duiven, die zich te goed doen aan de achtergebleven maïskorrels, zijn absoluut oneetbaar!

In die hele warme zomer, waarin het veel te warm was om de stallen goed schoon te houden, kwam het aroma je overal tegemoet. De kijker, die T. bleek te heten, vroeg met een armgebaar richting de stal van onze buren Sjef en Rian:

'Is dit echt alles wat je normaal van die stal merkt?'

Ik zei, naar waarheid:

'Nou, weet u, het is de laatste tijd natuurlijk een beetje warm geweest en Sjef en Rian, onze lieve buurtjes, zijn naar een of ander Centerpark. De vader van Sjef neemt nu de honneurs waar, maar die is gelukkig wel zo verstandig om in deze hitte geen domme dingen te doen.'

Mijn antwoord was kennelijk volkomen logisch, want het onderwerp stank kwam hierna niet meer ter sprake. De verdere bezichtiging bleek aan alle verwachtingen te voldoen en na anderhalf uur verlieten T. en Q. in opperbeste stemming het terrein.

Q. belde na een uur en zei:

'Ik moet u er toch op voorbereiden, dat dit serieus wordt.

Meneer T. is verliefd op uw huis en we komen zaterdag nog een keer kijken, als dat schikt.'

Nu was Maria er wel bij en na enige kout over het klassieke Brabantse thema 'Ken je die en ken je die', gingen T. en Q. nogmaals het huis rond, waarbij af en toe op een muur werd geklopt en een kastdeur geopend. Om te voorkomen, dat het helemaal een wassen neus werd, bood ik aan een rondje door de tuin te maken. Ik hoop, dat T. en Q. iets opgestoken hebben over mijn toelichting op onze 'Desprez à Fleurs Jaune', over onze David Austin-rozen 'Shropshire Lass' en 'Constance Spry', die er heel goed bij stonden, alsmede onze aardige verzameling ramblers. T. was zeer complimenteus over de tuin, vertelde heel erg van tuinieren te houden en dan vooral van het werken met de kettingzaag. T. bleek in zijn jonge jaren bij het Corps Commandotroepen gediend te hebben (in Brabant is iedere flink uit de kluiten gewassen jongeman bij de commando's geweest, zoals in Rotterdam moeders trots bij de mariniers). Ik schrok wel een beetje van die voorliefde voor de kettingzaag en daarom hebben wij maar meteen een inventarisatie gemaakt van de bomen, die in de komende jaren gerooid moesten worden teneinde de gezonde ontwikkeling van het bos te bevorderen.

In het weekend werd nog wat met Q. getelefoneerd over het loven en bieden, zoals dat bij goede omgangsvormen hoort. De inventaris van het tuinschuurtje speelde daarbij dan ook de hoofdrol, waarbij het mij nog steeds spijt, dat ik mij te laat realiseerde dat mijn mooie verzameling roestvrij stalen Sneeboertuingereedschap door de gemaakte afspraken ook naar T. overging. Afgesproken werd om maandagmiddag elkaar weer te ontmoeten 'om er uit te komen'.

Maandagmiddag zaten we dus weer op ons terras, in de schaduw van de vleugelnoot (Pterocarya). Na eerst nog even het wel en wee doorgenomen te hebben van een gemeenschappelijke kennis, waarbij het mij ontschoten is of het een kennis betrof van T. en van ons, van T. en Q. of van Q. en van ons, zei T.: 'Wacht even.' Hij liep naar zijn Volvo en kwam terug met een bos van vierentwintig gele rozen en twee flessen Moët et Chandon, begon Maria omstandig te zoenen en gaf Q. en mij een fles champagne. Ook de rest van die middag verliep buitengewoon harmonieus.

Zowel Q., als goede vrienden van ons vertelden ons dat de hele gang van zaken toch wel wat afweek van het gebruikelijke stramien. Onze kinderen en schoonkinderen hielden het er zelfs op dat wij fabuleerden. Maria en ik wisten wel beter, wij waren er zelf bij geweest en dan gebeurt er wel vaker iets curieus.

Na de ondertekening van het voorlopig koopcontract, een paar dagen later, in het kantoor van Q. te Oisterwijk, leek het ons niet overdreven om, omdat we toch in de buurt waren, bij de plaatselijke Michelin-ster te gaan eten. Wij bleken die dag de enige te zijn die op dat idee gekomen waren, zodat niemand er aanstoot aan kon nemen, dat wij ons feestelijke glas champagne vergezeld lieten gaan van twee minstens zo feestelijke Kwekkeboomkroketten op witbrood en met veel mosterd en ons niet lieten verleiden tot iets ingewikkelds van de gewone kaart.

Wij hadden ons huis nu wel in een record tempo verkocht, maar was dat ook iets om leuk te vinden? Q. vroeg of hij een paar borden met de rode strip 'verkocht' in de tuin mocht zetten; wij konden hem dit genoegen natuurlijk niet ontzeggen. Bovendien heeft zo'n triomfantelijke totempaal ongetwijfeld iets feestelijks. Op de website van Q. werden de foto's van ons bedoeninkje vertoond, bedrukt met de rode letters 'verkocht in dertien dagen'.

Kinderen en vrienden hadden inmiddels de houding 'leuk voor jullie, maar de vraagprijs was natuurlijk veel te laag', zodat wij toch nogal wat uit te leggen hadden, terwijl onze opgewekte gelaatsuitdrukking gezien werd als een overtuigend bewijs van onze op handen zijnde seniliteit.

Ook in de buurt verliep het niet helemaal soepel. Het had ons beschaafd geleken de verkoopprijs geheim te houden, maar Q. had in zijn ijver onmiddellijk een kleine advertentie gezet in het (naar bleek) alom gelezen regionale huizenkrantje, waardoor de hele buurt perfect op de hoogte was. Iedereen vond het een 'hartstikke mooie' prijs, hetgeen wel wat zegt omdat Kempenaren, die absoluut niet beschuldigd kunnen worden van geraffineerde manieren, zeker de kunst van het compliment niet beheersen. De vorige eigenaar van ons huis, die altijd spijt van de verkoop had gehad en nog regelmatig met zijn crossfiets in de buurt te vinden was, werd prompt door een paar dorpelingen bijgepraat. Zijn commentaar, dat voor enige hilariteit zorgde, werd ons niet onthouden.

Natuurlijk informeerde iedereen naar wat wij nu gingen doen. Dit was een riskant thema; de straf op een verkeerd antwoord, zeker voor iemand die net met pensioen is, is onmiddellijke degradatie naar de klasse van oninteressante bejaarden. Een mededeling dat nu eindelijk gewerkt ging worden aan een drastische verlaging van de handicap, bijvoorbeeld, was natuurlijk van een verbijsterende afgezaagdheid. Om als golfspeler van de middelmatige handicap drie- en twintig te gaan naar handicap tien (dus — voor de leek — gemiddeld nog geen slag per hole minder), zijn, behalve voor de getalenteerden, bloed, zweet en tranen nodig en ook meer aanwezigheid op de golfbaan dan voor een intellectueel nog verantwoord is. Bovendien is de maatschappelijke relevantie van een dergelijke prestatie nou niet echt gemakkelijk uit te leggen aan niet-golfers.

Ook het dreigement meer musea te gaan bezoeken zou niet tot enthousiasme leiden. Het is geen pretje om je in de Nederlandse musea tussen hordes leeftijdgenoten te begeven, die op dezelfde originele gedachte zijn gekomen, al was het alleen maar omdat zij er meestal uitzien of ze onmiddellijk na het museumbezoek een studerend kind bij de verhuizing gaan helpen. Bovendien munten Nederlandse musea uit in tentoonstellingen van petit maîtres, aangekondigd met gotspes als 'J.B. Jongkind, de leermeester van Monet' of andere toevoegingen die eigenlijk tot een klacht bij de reclamecodecommissie zouden moeten leiden. De drie beste werken van Floris Verster, Kees Maks of J.B. Jongkind zijn best het aanzien waard, maar zestig is wel erg veel van hetzelfde. Nog erger zijn natuurlijk tentoonstellingen van privé-collecties; meestal is de collectioneur niet rijk of kritisch genoeg of te krenterig om echte kwaliteit te kopen, terwijl de omvang van de verzameling slechts interessant is als metafoor van het ego of een of ander lichaamsdeel van de trotse bezitter.

Nederland kent hele mooie musea, maar instellingen als het Mauritshuis, waar vijftig senior citizens op dertig vierkante meter staan te koekeloeren naar een paar kleine schilderijen van Holbein, zouden beter veranderd kunnen worden in een eerste klas restaurant, waarvoor in Den Haag, zeker op die plaats, nog best emplooi is. Tot nu toe hadden wij dit mijnenveld kunnen vermijden door uit te leggen hoe groot onze tuin wel was en wat onze plannen om er echt iets grandioos van te maken inhielden. Slechts door nu te vertellen, dat wij die plannen nog steeds hadden, maar het toch leuker vonden iets in de Provence te verwezenlijken lukte het om onze geloofwaardigheid op peil te houden. Ook de bekentenis, dat ik 'met een roman bezig was', deed het best aardig, zeker omdat ik altijd resoluut weigerde te vertellen waar het over ging, om vervolgens een mistig verhaal op te hangen over het genre waartoe mijn roman zou gaan behoren.

De weken daarna liep alles van een leien dakje. T. wilde snel naar de notaris, omdat hij broeder Balkenende en broeder Zalm absoluut niet vertrouwde en daarom alles voor Prinsjesdag wou afwerken. Gezien onze gereformeerde achtergrond konden wij daar wel inkomen en leek wachten ons ook de goden verzoeken.

De verdeling van de inboedel over een opslagcontainer, een verhuiswagen richting Rotterdam, waar wij een appartement hebben, en een vuilcontainer liep gesmeerd. Omdat onze kinderen, de tuinman en toevallige passanten veel van wat wij op de vuilcontainer gooiden er weer afhaalden, konden wij met een normaal type toe. Gelukkig vonden wij snel een huis in de Vaucluse in de buurt van een stadje beroemd om zijn antiquairs en bric à brac markt in het weekend, zodat veel van wat later tot onze verbazing uit de verhuiscontainer kwam, nu een Frans interieur siert.

Welgeteld eenenvijftig dagen na ons gesprek op het terras verlieten wij voorgoed ons huis, richting Rotterdam, met een tevreden gevoel en in het besef dat het allemaal ook veel minder goed had kunnen aflopen.

Zoals altijd reden wij langs de protestantse begraafplaats Godes Akker, waar wij twee plaatsen naast elkaar hadden gereserveerd, vlak bij een paar geallieerde militairen uit de Tweede Wereldoorlog. Zoals iedereen weet liggen katholieken altijd boven op elkaar, omdat katholieken plegen te stapelen, hetgeen wij voor de eeuwigheid, gezien het feit dat wij toch al vijfendertig jaar getrouwd waren, wat overdreven vonden.

Maria zei:

'Moeten we eigenlijk nog iets met die graven doen?'

De rest van de reis bespraken wij de voor- en nadelen van een graf à la dat van Sartre en de Beauvoir op de cimitière du Montparnasse ten opzichte van zo'n alleraardigst Frans bovengronds grafkapelletje, die je tegenwoordig ook tweedehands schijnt te kunnen kopen.

## Van gemene gratie naar
## particuliere genade

Ik kijk niet graag in de spiegel. Niet omdat het spiegelbeeld objectief gezien nu zoveel te wensen overlaat, maar omdat ik met het klimmen der jaren als twee druppels water op mijn vader begin te lijken en aan hem heb ik toevallig altijd een enorme hekel gehad. Gelukkig is dat, voor zover ik weet, voor niemand ooit een probleem geweest en al zeker niet voor hem, omdat ik ook absoluut niet tot zijn favorieten heb behoord.

De eerste keer dat ik hem bewust zag, ging het al meteen goed mis. Op een warme zomeravond in 1945 kwam mijn vader na drie jaar terug uit krijgsgevangenschap. Hij was achtentwintig, ik drie en ik zette een enorme keel op toen ik vol trots door mijn moeder aan hem werd getoond. Trouwens zijn hele rentree was wat sneu. Hij had al die jaren doorgebracht in Stanislau (nu Oekraïne), waar hij naar eigen zeggen de tijd doorgekomen was met sport, houtsnijwerk en bridge, terwijl het lievelingsbroertje van mijn moeder (oom Joost) naar Engeland was gegaan, om uiteindelijk in 1944 aan boord van zijn Mitchell-bommenwerper door Duits luchtafweergeschut tot zijn Schepper te worden geroepen. Niemand zei het hardop, maar iedereen vond dat mijn vader die drie jaar maar een beetje had zitten lummelen en nu zeker niet met dikke verhalen aan moest komen.

Mijn wereld was er met de bevrijding ook niet beter op geworden. Mijn moeder had, toen mijn vader met andere Nederlandse officieren oostwaarts trok, haar huis in 's-Gravenhage verhuurd om met mij bij haar ouders in Enkhuizen in te trekken. Daar werd ik tot mijn grote tevredenheid enorm verwend door grootvader, grootmoeder, ooms, tantes en dienstmaagden.

Ik herinner mij uit die tijd overigens alleen bij luchtalarm de regelmatige gang naar de schuilkelder, die mijn grootvader al voor de oorlog in de tuin had laten bouwen. In ieder geval kan ik me niet herinneren dat iemand mij ooit had uitgelegd dat ik ook nog zoiets als een vader had, zodat ik alleen al om die reden die blije man in 1945 niet direct kon plaatsen.

Na de oorlog werkte mijn moeder met enige moeite de huurders weer haar huis uit, nam een Drents meisje als inwonende dienstbode in dienst en wachtte de dingen die zouden kunnen komen rustig af. Dat waren in volgorde dus eerst mijn vader en vervolgens in 1946 en 1947 een dochter. Mijn vader was al snel weer onder de pannen. Na enige tijd in Schotland, waar hij bij de Gordon Highlanders de nieuwste 'tricks of the trade' moest leren, vertrok hij voor drie jaar naar ons Indië. Ik verloor op straat meestal met knikkeren en miste Enkhuizen enorm.

Zoals bekend, waren de politionele acties bepaald geen 'succès fou' en liep mijn vader ten tweede male een glorieuze rentree mis, waar een rechtgeaard militair het nu eenmaal sedert de Romeinen allemaal om doet. Mijn moeder zag in ieder geval geen enkele aanleiding om mijn vader bij thuiskomst op de kade te verwelkomen, zoals de gewoonte was en wachtte in de lobby van een Rotterdams hotel, bij het genot van een kopje thee, rustig af tot mijn vader boven water kwam. Daarna kwam het met mijn vader nooit meer helemaal goed. Zijn militaire carrière interesseerde mijn moeder, gezien haar eigen vermogen en zijn traktement, helemaal niets, waardoor mijn vader zich buiten de kazerne steeds minder, zoals dat in zijn kringen heette, senang ging voelen. Bovendien werd die carrière niet helemaal wat hij zich ervan voorgesteld had, omdat de hogere rangen in het leger behoorlijk verstopt raakten, doordat behalve het Nederlandse leger ook het Knil werd gerepatrieerd. Zo zeer zelfs, dat toen ik twintig jaar later twee jaar in het leger verkeerde, het daar nog steeds wemelde van Indische overstes en kolonels. Ik kan mij eigenlijk maar één moment herinneren waar mijn moeder blijk gaf van enige waardering voor de krijgsmacht, namelijk toen een majoor van het Vreemdelingenlegioen, die bij mijn ouders een borrel kwam drinken, binnenkwam, zijn witte képi onder de arm nam en mijn moeder een handkus gaf.

Nu plegen kazernes meestal op minder courante plaatsen te liggen, zodat wij hem heel weinig zagen en mijn vader en ik, tot ons beider tevredenheid, elkaar niet voor de voeten liepen. Die onlustgevoelens buiten de kazerne hadden overigens zeker niets te maken met wat nu heet een posttraumatisch stresssyndroom, die nieuwlichterij was toen nog niet uitgevonden en 'an officer and a gentleman' is daar uiteraard immuun voor. Uit de gesprekken van mijn vader met zijn vrienden, altijd collega's en meestal tijdgenoten van de KMA, bleek nooit dat de gebeurtenissen te velde ook maar enigszins de slaap of de eetlust hadden verstoord en er was ook zeker geen sprake van storend drankmisbruik.

In de meidagen van 1940 of tijdens de politionele acties is er natuurlijk van alles gebeurd, maar het enige sterke verhaal, dat mijn vader af en toe de moeite waard vond om te vertellen was de executie, op bevel van het hoofdkwartier in Batavia, van twee Japanse officieren, die een van zijn patrouilles in het oerwoud had gevonden. De grenadiers, die het vuurpeleton vormden, waren wat zenuwachtig geworden van de vererende opdracht. Nadat mijn vader het bevel 'vuur' had gegeven en de Japanners daarop 'banzai' hadden teruggeroepen, bleek mijn vader met zijn pistool allebei een genadeschot te moeten toedienen, omdat het executiepeleton op het moment suprème vergeten was, dat een hart links, dus voor de schutters rechts, zit. Wat hij daar echt van vond, ben ik nooit te weten gekomen, omdat op dat moment in het verhaal mijn moeder altijd zei dat mijn vader verder zijn mond moest houden en nog wat moest inschenken.

Wij konden elkaar natuurlijk niet altijd ontlopen. Bijvoorbeeld, toen mijn moeder eens de markiezen van ons huis liet vervangen, kwam mijn vader met de verbijsterende mededeling dat hij het houten geraamte wilde houden om er een volière van te maken, omdat hij vogeltjes wilde gaan kweken. Behalve de man van de werkster kenden wij niemand die zoiets deed. Wij kenden alleen een brigadegeneraal die elke dag zijn Deense dog meenam naar de kazerne, waar het monster door zijn korporaal-chauffeur in de keuken van de manschappenkantine werd gevoederd met de beste stukken vlees (de manschappen hadden nu eenmaal toch het liefst aardappels en vette jus).

Mijn vader hield voet bij stuk en ik moet zeggen, het lukte hem om een mooie vogelkooi in elkaar te draaien. Het ornithologisch experiment daarentegen werd geen succes. Allereerst werd mijn moeder reuze nijdig toen de kanariepietjes en zebravinkjes de liguster, waar mijn vader de kooi omheen had gebouwd, kaalvraten waarop de struik het prompt begaf. Ook ging er iets mis met de voortplanting; het broedsel dat de zorgen van mijn vader overleefde had steevast kromme poten, een scheve snavel of beide. Tot ieders opluchting werd mijn vader tot bataljonscommandant benoemd in een gat bij het IJzeren Gordijn, zodat hij zonder gezichtsverlies aan mij kon vragen of ik de overgebleven arme schepsels voor hem wou verkopen. Ik kende op school wel iemand die de weg wist en na enige tijd overhandigde ik mijn vader van de opbrengst een tientje. Hij vond het, geloof ik, wel weinig, maar schonk mij (ik was inmiddels al veertien) toch een Bokma in.

Onze relatie bleef onveranderd slecht, maar ik vond het

prima zo en hij ook. Ik heb er in ieder geval al heel jong van geleerd, dat je iemand niet aardig hoeft te vinden om er toch mee te kunnen samenwerken, zoals bij het overlijden van mijn grootvader (zijn vader, niet die uit Enkhuizen).

Toen het telefoontje kwam dat opa plotseling was gaan hemelen, vroeg mijn moeder of ik mijn vader even wilde gaan waarschuwen. Niet dat mijn moeder er moeite mee had mijn vader iets onplezierigs te vertellen, integendeel, maar mijn vader had de bizarre gewoonte zijn auto eenmaal per veertien dagen in de was te zetten. Omdat mijn moeder het natuurlijk niet goed vond dat hij dat op de oprit deed, verdween hij altijd met zijn poetsgerei naar het bos. Voor een beroepsofficier was dat gepoets overigens heel normaal. In die tijd sleet het rollend militair materieel niet van af en toe een ritje op de hei, maar van overmatig onderhoud. Door het continue losdraaien en weer vastdraaien van bouten en moeren ontstond meer schade, dan het Rode Leger ooit zou kunnen aanrichten.

Ik fietste het bos in en mijn vader zei dat hij, als hij klaar was met zijn klusje, onmiddellijk naar huis zou komen. Daarna reden wij samen naar Den Haag. Oma was een beetje boos, omdat opa de slechte smaak had gehad bij een tramhalte een fatale hartaanval te krijgen — oma had opa zijn escapades met dames nooit vergeven —, mijn tante vroeg zich af wat zij op de begrafenis zou aantrekken en gedrieën besloten zij, omdat dat leerzaam zou zijn, dat ik de begrafenis maar moest regelen. Dat kwam wel slecht uit, omdat ik vlak voor een tentamen zat, maar ik had opa altijd een aardige man gevonden en het leek me eigenlijk ook wel interessant.

De begrafenisondernemer had mijn hulp overigens absoluut niet nodig. In zijn garage aan de Hooikade bleken een aantal fraaie Armstrong Siddeley's te staan, die ik besprak om iedereen die tramhalte te doen vergeten. Iedereen was enthousiast over mijn keuze en de broer van mijn oma, die leuk wou zijn en zei, dat mijn opa nog nooit in zo'n mooie auto had gereden, kreeg van oma een standje.

Toen wij achter de baar aansjokten had ik vooral belangstelling voor Maria, op dat moment mijn verloofde, die er in een strak gesneden zwart mantelpak en een zogenaamde pill box, die het toen door de begrafenis van JFK helemaal was, oogverblindend uitzag en ik verheugde mij op de dingen, die wij ongetwijfeld na afloop samen zouden gaan doen. Ik had, omdat wij op rij drie liepen, ook goed zicht op de achterkant van mijn vader, die in zijn gala-uniform voorop liep met aan zijn rechterarm oma en in de linker hand zijn sabel. Het viel mij op, dat zijn kleermaker er beter aan had gedaan zijn uniformjas tien centimeter langer te maken, omdat aan de omvang van mijn vader's achterwerk goed te zien was dat de mechanisatie van de Koninklijke Landmacht vrijwel volledig voltooid was.

❦

Over fysionomie gesproken, ik had inmiddels een dusdanig postuur ontwikkeld, dat een paar nagelaten overhemden van oom Joost mij perfect pasten. Zij waren RAF-blauw (oom Joost had voor hij naar de Marine ging ook nog een blauwe maandag bij de RAF gezeten), voorzien van losse boorden en van een voortreffelijke snit. Pas jaren later, toen ik mij kon overgeven aan de geneugten van maatoverhemden, kreeg ik hemden die daarmee vergelijkbaar waren.

Over oom Joost werd in de familie nooit gesproken. Zijn piano stond bij ons in de eetkamer, onder zijn portret. Hoewel mijn moeder heel goed piano kon spelen, werd hij nooit gebruikt, behalve als op kinderfeestjes de stoelendans moest worden begeleid. Al met al was Joost voor ons allemaal een groot raadsel. Pas veel later hoorde ik van een andere oom, die het eens uitgezocht had, wat zich had voorgedaan. In 1942 was Joost plotseling, zonder een spoor achter te laten, verdwenen uit Saint-Rémy-de-Provence, waar hij een dochterbedrijf van de zaak van mijn grootvader runde. Een tijdje later dook hij op in Engeland, waar hij uiteindelijk, ondanks slechte ogen, eerste-luitenant waarnemer werd bij het 320ste squadron van de Marine Luchtvaartdienst. Zijn nog levende wapenbroeders konden zich naderhand slechts herinneren dat hij een half jaar voor zijn sneuvelen zijn dood voelde aankomen, het bier in de mess hem minder smaakte en hij steeds meer in zichzelf gekeerd raakte. Wat blijft, als je op je zevenentwintigste op een verkeerd moment en een verkeerde plaats het loodje legt, zijn een broer en een neef, die nog een enkele keer aan je denken, een paar hoornen boordeknoopjes, een officierssabel en (godbetert) een oorkonde van de minister van Oorlog, type zwemdiploma, die vermeldt dat je voor koningin en vaderland het leven hebt gelaten.

※

Maria en ik zijn dus allebei van huis uit gereformeerd. 'Gewoon' gereformeerd en niet iets engs uit de Nederlandse bible belt, waarvan je zonodig moet gaan knielen op een bed violen. Die groepering was aan het eind van de negentiende eeuw ontstaan door een samenvoeging (onder leiding van een goeroe, ene Abraham ('de geweldige') Kuyper) van twee afsplitsingen van de Nederlands Hervormde kerk. Abraham K. was een notoire intrigant en ruziemaker, die naar verluidt aan zijn tegenstanders minder hekel had dan aan diegenen die tussen hem en zijn tegenstanders vrede wilden stichten. Met die hervormde kerk wordt sinds kort weer samen op weg gegaan, zodat er geen reden zou zijn er enige woorden aan vuil te maken, ware het niet dat ons beider voorliefde voor 'a touch of conflict in life' mede door die gereformeerde achtergrond is bepaald.

De nomenklatura van de kerk verkondigde steevast dat de groepering met recht een wereldkerk — zij het een kleine — genoemd mocht worden, echter volgens de gangbare definities was er eerder sprake van een ordinaire sekte. De kerk had natuurlijk het gebruikelijke calvinistische negatieve mensbeeld, maar waar het vooral aan ontbrak was een aantrekkelijk hemelbeeld, geen Nirwana, Shangrila of Xanadu, geen el Dorado, geen Pays de Cocagne, geen nieuw paradijs of een goed geoutilleerde hemel, met zoals in de islam, maagden en abondance. Gereformeerden gingen er van uit dat na een vroom en arbeidzaam leven een hemel wachtte, waar door de uitverkorenen de godganse dag in een uniseks, lange, witte jurk psalmen gezongen moesten worden. Niemand durfde het hardop te zeggen: een vooruitzicht waar alleen een paar oude vrouwtjes vrolijk van werden! Alle reden dus om te proberen het tijdens dit leven zo prettig mogelijk te hebben en het niet op het hemels paradijs aan te laten komen.

Abraham K. had de gereformeerden daarbij geleerd, dat het geluk dat iedereen zich zou kunnen verwerven (de gemene gratie), niet interessant was en dat het ging om de particuliere genade, de beloning voor hen die het eindelijk gesnapt hadden. Hoe dat nou precies in elkaar zat wist bijna niemand en hoe het ook zij, het religieuze aspect was niet meer dan een dun laagje vernis. Volgens zijn biografen was Abraham K. uit op het stichten van een politieke en sociale beweging onder de dekmantel van een eigen kerk. Daarbij ging het in de eerste plaats om de maatschappelijke positie van de goeroe en enkele van zijn trawanten, terwijl de eenvoudige gelovigen slechts pionnen waren, die door dominees en kerkraden onder controle gehouden werden.

Geen enkele dominee heeft mij ooit kunnen uitleggen wat de theologische verschillen met de hervormden waren en ik weet tot op de dag van vandaag niet precies wat ik toen eigenlijk geacht werd te geloven. Sterker nog, het stellen van de vraag was op zich al verdacht en een signaal dat ongeloof en afvalligheid dreigden. Voor de gewone 'gewone' gereformeerde was dat overigens absoluut geen probleem. Hij ging elke zondag twee keer naar de kerk. Daar zong hij, liefst zo hard mogelijk, uit zijn bundeltje met Bijbel, psalmen en eenentwintig gezangen en hoorde, als hij zijn gedachten ten minste niet liet afdwalen, de preek aan.

Af en toe kwamen er twee leden van de kerkraad op huisbezoek, simpele zielen in hun zondagse pak, die zich ervan wilden vergewissen of de gewone 'gewone' gereformeerde zich nog op de 'rechte weg' bevond. Na een inleidend gezamenlijk gebed, de koffie en het gebak, lukte het meestal wel om het gesprek in goede banen te leiden, zodat de ouderlingen, gesterkt in hún geloof, tevreden huiswaarts konden keren.

Weliswaar kwam zondags de vraag waarom wij dan wel hier op aarde waren regelmatig aan de orde, maar om op dat moment rechtop in de kerkbank te gaan zitten en te denken 'Nou, ik ben benieuwd', was lichtelijk overtrokken. Ik heb in ieder geval nooit een antwoord gehoord dat mij zo aansprak dat ik het heb onthouden.

Met die preken was ook iets merkwaardigs aan de hand. Een preek was geen betoog dat aan de normale wetten van de toegepaste logica voldeed. Er was weliswaar ook geen sprake van onvervalste kletskoek, maar het ging wel om een verzameling open deuren, beweringen waar niemand tegen kon zijn, bekende beelden en mijmeringen, die zo gerangschikt werden dat de beminde gelovigen de kluts kwijtraakten en bij hen een gevoel van welbehagen werd opgeroepen. In de termen van de kerk werd de gelovige 'gesticht'. Het ging niet om overtuigen, de beminde gelovige was per definitie al overtuigd en wilde dat elke zondag tweemaal nog eens van de dominee horen.

Als men niet 'nourrit dans le serail' is, is deze manier van communiceren een verbijsterend raadsel, maar gereformeerden en ex-gereformeerden herkennen het meteen. De huidige minister-president gebruikt deze techniek, die nog van Abraham K. afkomstig schijnt te zijn, meestal als hij wat te verbergen heeft. Wij luisteren dan ook graag naar hem, omdat het ons eraan herinnert hoe verstandig het was de gereformeerde kerk de rug toe te keren (en dat geeft ons dan weer een gevoel van welbehagen). Ik moet trouwens bekennen, dat deze techniek mij ook altijd heel goed van pas kwam als tijdens de jaarvergadering een lastige aandeelhouder het bos in gestuurd moest worden.

Toch was het allemaal minder onschuldig dan het lijkt. De gereformeerde kerk was fanatiek voor God, Nederland en Oranje en daarmee op zijn minst de verzamelplaats van de geestelijke erfgenamen van het oranjegepeupel, dat in 1672 de gebroeders De Witt heeft gelyncht. De sfeer was anti-intellectueel, anti-kunst en anti-literatuur. Ruziemaken was volgens Kuyper het bewijs, dat de gelovige zijn geloof au serieux nam en stond daarom in hoog aanzien. Ook was het gevoel voor ethiek weinig ontwikkeld. Weliswaar werd de gelovige officieel voorgehouden, dat hij zijn naaste lief moest hebben, maar het bijbelverhaal over Gideon, die met een klein groepje rauwdouwers, de zogenaamde Gideonsbende, de Filistijnen de keel afsneed, scoorde zeer hoog. Als daarover gepreekt werd, was het iedereen zonder meer duidelijk dat met de Gideonsbende de gereformeerden bedoeld werden. Niet-gereformeerden werd derhalve, als het zo uitkwam, een oor aangenaaid; gereformeerden hanteren met die achtergrond andere normen en waarden voor medegelovigen dan voor andersdenkenden. Het feit dat gereformeerden over het algemeen als onbetrouwbaar en leugenachtig worden gezien, heeft dus geen biologische, maar theologische achtergrond.

Kortom, de gereformeerde kerk was een ideaal toevluchtsoord voor weinig fijnbesnaarde lieden. Maria had dat op haar zestiende al in de gaten, maar ik moet bekennen, dat ik er heel aardig bijpaste en dan ook pas op mijn dertigste de kudde definitief vaarwel gezegd heb.

Ik geloof overigens niet dat het ons beiden voor het leven getekend heeft, hoewel ik moet toegeven dat als wij in, om eens wat te noemen, Gent of Toulon een tentoonstelling van werk van Kounellis bezoeken, wij een zelfde reactie vertonen. Een cirkel van dertien Thonetstoelen, met op elke stoel een jutezak met anthraciet of een wit vertrek met op de muur een zwarte streep met haken, waaraan eenentwintig goedkope zwarte of donkergrijze overjassen, doet ons allebei sterk aan een gereformeerde kerkraad denken. Waarmee maar weer bewezen is, dat ook een onappetijtelijk geloof kan bijdragen aan een bijna perfecte schoonheidsbeleving.

Een goede illustratie van de betrekkelijkheid van de gereformeerde normen en waarden vormde de overgang van mijn grootvader (die van de schuilkelder in de tuin) naar de gereformeerde kerken-artikel 31, nu de vrijgemaakt gereformeerde kerk, de club die de echte achterban van de Christen-Unie vormt, ontstaan uit een afsplitsing in 1944 — alsof er toen niets anders aan de orde was — van de 'gewone' gereformeerde kerk, als gevolg van een uit de hand gelopen geschil over een theologische futiliteit.

Toen mijn grootvader eens door een ouderling aangesproken werd op niet zeer gereformeerde opvattingen over de huwelijkse trouw, schoot hem dat in het verkeerde keelgat. Niet dat gereformeerden niet vreemd gaan, maar het was toch wel gebruikelijk de kat alleen in het donker te knijpen. Mijn grootvader vond dat maar flauwekul, omdat hij niet de gewoonte had zich ergens wat van aan te trekken en oma nogal bang voor hem was.

Hij verliet de gereformeerde kerk in Enkhuizen, huurde een leegstaand kerkgebouwtje, nam een artikel-31-dominee in dienst en begon zogezegd voor zichzelf. De ouderling werd er in de 'gewone' gereformeerde kerk op aangekeken, dat hij zo'n gat in de kerkelijke begroting had veroorzaakt; bovendien verloor de sukkel, die in het bedrijf van mijn grootvader werkte, natuurlijk zijn baan.

De overgang verliep in het gezin van mijn grootvader overigens niet helemaal soepel. Mijn grootvaders eerste echtgenote, de moeder van mijn moeder, was in de twintiger jaren, toen zij in Chicago woonden, aan de Spaanse griep overleden. Mijn grootvader was daarna met drie kleine kinderen weer teruggegaan naar Nederland en daar hertrouwd met een heel lieve dame die absoluut niet tegen hem opkon. Dat kon van mijn moeder niet gezegd worden, zij keurde grootvaders escapades af en zorgde ervoor, dat de rest van het gezin gewoon gereformeerd bleef. Alle familieruzies werden zonder enige gêne aan de eetkamertafel uitgevochten, waarbij er meestal wel een man of tien, familie maar ook gasten, getuige waren. Helaas werd ik onmiddellijk, als het bal begon, door mijn moeder naar de keuken gestuurd, zodat ik er het fijne van altijd moest missen. Ik weet alleen, dat mijn grootvader het buitengewoon komisch vond als mijn moeder tegen hem begon uit te varen.

Ik mocht zondags wel eens, als concessie van mijn moeder aan mijn grootvader, met mijn grootvader mee naar zijn kerkje; hij was theologisch voldoende onderlegd om te weten dat dit alles zijn kansen op de hemel niet had verbeterd, maar hij wekte altijd de indruk dat hij zichzelf helemaal geaccepteerd had en volkomen verzoend was met het hiernumaals. Dat het allemaal niet best was, vond natuurlijk iedereen, maar de gereformeerden-artikel 31 golden als iets 'zwaarder', zodat niemand kon beweren dat mijn grootvader er zich met een jantje-van-leiden vanaf gemaakt had.

Mijn grootvader was er na die ervaring helemaal een voorstander van het religieuze gebeuren in eigen hand te houden. Huwelijken en begrafenissen werden, inclusief de bijbehorende eredienst, altijd in huis georganiseerd. Zowel mijn grootvader als mijn grootmoeder had een zeer uitgebreide familie, maar gelukkig was een van de kamers groot genoeg om een kleine honderd klapstoeltjes te bergen. De dominee werd opgetrommeld en het kerkje spelen werd altijd reuze gezellig. Het voordeel was, afgezien van het feit dat wij onder elkaar waren, dat natuurlijk niemand zijn jas hoefde aan te houden, zodat ons die bekende gereformeerde geur van opdrogende natte overjassen bespaard bleef.

De meeste indruk maakte op mij de herbegrafenis, in 1947, van oom Joost. De bewuste kamer was nu ingericht als chapelle ardente, wat niet meer inhield dan dat de kist met wat van oom Joost over was voorin stond met daarnaast twee forse palmen en daarachter een kruis gemaakt van de resten van een vliegtuig, volgens mijn moeder de Mitchell — mijn grootvader hield wel van een spectaculair accent.

Ik ben de laatste om te beweren dat het chique is om lid te zijn geweest van een fundamentalistische sekte, maar het is meestal wel erg vermakelijk andere ex-gereformeerden tegen te komen, omdat er bij dergelijke ontmoetingen — ex-gereformeerden herkennen elkaar altijd — meestal wel iets komisch gebeurt. Zo was ik na mijn militaire diensttijd bij een farmaceutisch bedrijf in het zuiden des lands gaan werken, waar ik na korte tijd tot hoofd van de marktonderzoekafdeling werd gebombardeerd. Het belang daarvan was vooral dat ik altijd de kinderen van directeuren, die een vakantiebaantje of stageplaats nodig hadden, onder mijn hoede kreeg. Succes was verzekerd omdat ik de slachtoffers zich altijd een ongeluk liet werken, hetgeen zij tot grote tevredenheid van hun vaders en verbazing van hun moeders, natuurlijk thuis vertelden.

Toen ik mijn standaardtruc een keer op het zoontje van de president-directeur uitprobeerde, werden Maria en ik dan ook prompt op een zaterdagavond voor een diner ten huize van nummer één uitgenodigd. Kennelijk was er iets met de interne communicatie mis gelopen, want er kwam van alles op tafel maar niet iets wat je ook maar in de verste verte een diner zou kunnen noemen. Bovendien had bij de familie net een cocktailautomaat zijn intrede gedaan, een volkomen overbodig apparaat waar een heleboel alcoholische ingrediënten in gedaan konden worden, waarna er na een simpele druk op een knop een daiquiri of een manhattan uit een tuitje kwam. Het zoontje van de president-directeur en zijn vriendinnetje hadden dit wereldwonder onder hun hoede genomen en begonnen al behoorlijk de hoogte te krijgen. Goede raad was duur. Gelukkig zag ik in de hoek van de kamer een harmonium staan, met daarop een liedbundel van een zekere, in gereformeerde kringen zeer bekende, Johannes de Heer. Inderdaad, de president-directeur bleek vroeger ook gereformeerd te zijn geweest en kon het instrument nog steeds bespelen. De rest van de avond brachten wij door met gepaste samenzang. Toen ik de volgende morgen mijn rooms-katholieke directe chef verslag deed, barstte deze bijna van jaloezie.

In de jaren die ik bewust meegemaakt heb, was het theologische heilige vuur allang gedoofd en was de gereformeerde levensstijl al behoorlijk verwaterd. De gereformeerden zaten 's avonds, net als normale mensen, voor de televisie en hadden dus geen tijd meer voor rokerige kerkzaaltjes. Als het nog tot bekvechten kwam ging het over Nieuw-Guinea en of de Anti-Revolutionaire Partij met de socialisten in één kabinet kon gaan zitten. Wat er nog over was van het theologisch debat, werd bovendien gedomineerd door een hoogleraar van de Vrije Universiteit, die het tot zijn levenstaak had gemaakt alle gereformeerde geloofszekerheden naar het rijk der fabelen te verwijzen. Omdat de man niet voldoende tegenspraak kreeg van de leiding van de kerk en dus min of meer ongestoord zijn gang kon gaan, raakte de gewone 'gewone' gereformeerde ervan overtuigd dat het er allemaal niets meer toe deed.

Anderzijds kon zeker gezegd worden, dat de gereformeerden als groep behoorlijk succesvol zijn geweest. De bedoeling van de oprichter was om een stevige beweging te vormen uit de lagere sociale klassen in de Nederlands hervormde kerk: schoolmeesters, ambtenaartjes, politieagenten en vertegenwoordigers, de 'kleine luyden'. Abraham K. was zijn tijd duidelijk ver vooruit door, wat nu heet, een totaalconcept te hanteren. Hij stichtte niet alleen een eigen kerk, maar richtte ook een eigen politieke partij op en organiseerde protestants-christelijk onderwijs met als sluitstuk een eigen universiteit, waar onder meer een eigen filosofisch systeem werd ontwikkeld en onderwezen (de wijsbegeerte der wetsidee geheten). Alle eerstejaars van de Vrije Universiteit kregen wekelijks, op maandagmorgen, drie uur college in deze heilsleer (het vak heette natuurlijk 'Inleiding in de wijsbegeerte' en niet 'Inleiding in onze eigen wijsbegeerte'); het tentamen was niet te omzeilen. Gelukkig zijn eerstejaars op maandagmorgen niet bevattelijk voor wat dan ook, zodat ik niemand ken die er blijvend letsel aan heeft overgehouden.

De wijsbegeerte der wetsidee was natuurlijk een rariteit en

als zodanig nog uitsluitend voor een enkele vakspecialist interessant. Het gereformeerde netwerk daarentegen was van grote praktische waarde, het was een bijna perfecte banenmachine, die de gereformeerden veel meer mogelijkheden gaf dan gezien hun aantal voor de hand zou hebben gelegen. Aan het eind van de jaren vijftig had het netwerk eigenlijk alles al opgeleverd wat er redelijkerwijs te wensen viel. Er waren al enkele gereformeerde premiers geweest, vele ministers, een vice-voorzitter van de Raad van State, een kamerheer van de koningin—leuk voor de uiterst koningsgezinde achterban—en chefs van de generale staf. Zo was op die manier de begrijpelijke maar gespleten situatie ontstaan dat een kleine gereformeerde elite de fictie van de kleine luyden en van de diepgelovige gereformeerde in stand hield, maar zelf in het dagelijks leven die habitus allang had afgelegd. Alleen als er op de bühne gespeeld moest worden, kwamen de bekende attributen nog uit de verkleedkist.

Toen ik aan het eind van de jaren vijftig een paar jaar in Amsterdam studeerde kreeg ik hierover aanschouwelijk onderwijs. Niet aan de vu, waar ik was ingeschreven, want ik had wel wat anders te doen dan college lopen na een middelbare schooltijd in een provinciestadje, maar in mijn corpsdispuut, dat in 1891 door enkele founding fathers was opgericht. Mijn tijdgenoten bestonden in meerderheid uit hun zonen en kleinzonen. De meerderheid was ook niet meer gereformeerd, hetgeen zij niet onder stoelen of banken staken. Dat kwam zeker door de algemene secularisatie, maar ook doordat de alleraardigste grootvader van een van ons (jaar van aankomst 1899) als dominee in 1926 een scheuring in de gereformeerde kerk had veroorzaakt, omdat het hem—in strijd met de officiële leer—onwaarschijnlijk leek, dat de slang in het paradijs Adam en Eva daadwerkelijk met woorden had verleid om van de bekende appel te eten. De afsplitsing heette 'gereformeerde kerken in hersteld verband' en veel dispuut-genoten uit die tijd gingen voor de gezelligheid mee. In 1946 ging de afsplitsing op in de Nederlands hervormde kerk en in 1967 herriep de gereformeerde synode het besluit, waarbij indertijd de dissidenten uit de kerk gegooid waren.

Het was in die tijd overigens behoorlijk leuk in Amster-dam en er gebeurden dingen, waarvan ze bij ons in de Ach-terhoek (ja, ja, alleen de naam al), waar ik mijn middelbare schooltijd had doorgebracht, nog nooit gehoord hadden. Ik had weliswaar regelmatig het Gelders Orkest zien optreden, maar dat was geen Concertgebouworkest. Ballet was taboe. Er was wel een schouwburg, maar daar traden hoofdzakelijk Snip en Snap op; ik kan me nog wel een keer Tartuffe herin-neren, met Ko van Dijk in de hoofdrol, maar door het Am-sterdamse gezelschap werd, zoals gebruikelijk bij optreden in de provincie, zo geschmierd dat degenen die dat opmerk-ten het lachen verging. De film 'l'Ascenseur pour l'échafeau' haalde de bioscopen van ons stadje niet en Miles Davis trad wel op in Amsterdam maar niet in de Buitensociëteit in De-venter.

Het afstand nemen van onze gereformeerde roots ging bij mij en mijn tijdgenoten eigenlijk al zover, dat langzamerhand het gevoel algemeen werd, dat om het echt in de grote men-senwereld te maken er niet in het vu-sfeertje gebleven moest worden. Het speet mij om die reden dan ook niet, dat mijn ouders mijn gebras en mijn gebrek aan studieresultaten aan-grepen om mij de keus te geven alsnog naar de kma te gaan of in Rotterdam te gaan studeren. Amsterdam mis ik na al die jaren nog steeds.

Maria en ik veroorzaken bij nieuwe kennissen nog steeds veel pret met de bekentenis dat wij elkaar voor het eerst in de kerk ontmoet hebben.

Dat de entree van Maria bij mijn familie tot grote onrust leidde, had uiteraard ook niet daarmee te maken. Maar, zoals iedereen weet, bestaat er in elke familie een zekere rangorde tussen het voor handen zijnde vrouwelijk schoon. Soms is die pikorde stabiel, als iedereen ongeveer even mooi of even lelijk is, maar als de verschillen te groot worden kan het evenwicht gemakkelijk verstoord raken. Natuurlijk niet als er een volgens iedereen oerlelijk meisje bijkomt, dat uit hoffelijkheid altijd omschreven wordt als 'apart' of 'sportief', dan is er niets aan de hand en kan de nieuwkomer gewoon achteraan aansluiten. Heel anders ligt het als er een heel mooi meisje bijkomt en nu kwam ik thuis met iemand uit de buitencategorie, die bovendien gezegend was met de voor die categorie gebruikelijke onzekerheid. Onzekerheid meestal veroorzaakt, doordat moeders uit jaloezie of om pedagogische overwegingen hun mooie dochters voorhouden, dat zij niet echt zo mooi zijn als Audrey Hepburn, Emmanuelle Béart of Naomi Campbell.

Over mijn schoonmoeder ging in de familie trouwens het kwaadaardige gerucht, dat zij ooit model gestaan had voor de aardappeleters van Vincent van Gogh (op het bekende schilderij de meeste rechtse figuur). Daarnaast weet elk lid van de buitencategorie uit ervaring, meestal zonder dat dit haar onzekerheid verholpen heeft, dat elke man zich binnen vijf minuten gaat aanstellen, waardoor elke toeschietelijkheid of zelfs maar vriendelijkheid onmiddellijk tot overlast leidt, waartegen dan weer opgetreden moet worden. De ervaring leert ook, dat deze vreemde combinatie van schoonheid, onzekerheid en afstandelijkheid bij de omstanders gemakkelijk tot verwarring en soms zelfs tot agressie kan leiden. Bij Maria kwam daar nog bij, dat zij tijdens haar studie als hoofdvak wetenschapsleer had en waarschijnlijk als gevolg daarvan niet de gewoonte heeft kletskoek bij wie dan ook door de vingers te zien. De meeste mensen, mannen en vrouwen, kunnen daar over het algemeen slecht tegen en de omstanders hebben de neiging uit medelijden partij te kiezen voor de ongelukkige die de maat wordt genomen. In het begin probeerde ik nog confrontaties te voorkomen, maar na de jaren des onderscheids bereikt te hebben, lijkt het toch zinvoller niet te proberen het onvermijdelijke voor te zijn en de gevolgen maar voor lief te nemen.

Ik was niet zo groen, dat ik het effect van de komst van Maria in het geheel niet had voorzien, maar de heftigheid van de reacties overviel me toch een beetje. Mijn moeder kon er, althans in het begin, de humor nog wel van inzien, maar mijn vader had vanaf het eerste ogenblik bij het zien van Maria alleen al last van onbetamelijke dwanggedachten, die hij nauwelijks voor zich kon houden. Op familiebijeenkomsten, waarvoor wij de eerste tijd nog uitgenodigd werden, liepen mijn ooms kwiek te doen, terwijl mijn tantes als een stelletje angstige poelepetaten vanaf de zijkant toekeken.

Op zondagmorgen was het bij ons, zoals in elk gereformeerd gezin in die tijd, de gewoonte om na de kerk 'en famille' koffie te drinken. Mijn vader gaf dan altijd, geheel ongevraagd, zijn mening over wat hij van de preek onthouden had, daarna werden een aantal medegelovigen besproken, vervolgens werden de hoogtepunten van de week uit dagblad Trouw van commentaar voorzien. Doordat mijn vader indertijd uitsluitend gereformeerd was geworden, omdat mijn moeder dat als voorwaarde voor een huwelijk had gesteld, ontbrak het mijn vader een beetje aan het gereformeerde levensgevoel en bleek meestal, als hij zijn mond open deed, dat hij nog niet aan de particuliere genade toe was. Mijn moeder koos voor zondag heel toevallig altijd een uiterst bewerkelijk recept uit en was dan allang naar de keuken verdwenen. Mijn zusjes en ik zaten onze tijd rustig uit, in de wetenschap dat het mijn vader niet om de dialoog te doen was. Ook was het goed mogelijk onderwijl een tukje te doen, omdat mijn vader onder het spreken, waarschijnlijk om zich beter te kunnen concentreren, altijd zijn ogen gesloten hield. Ik had Maria bezworen niet met mijn vader in discussie te gaan, hoe groot de verleiding daartoe ook zou zijn. Maria toonde haar goede wil door onderwijl daarom altijd uitgebreid de Donald Duck te gaan zitten lezen. Het duurde maanden voordat mijn vader door had dat dit niet als compliment bedoeld was. Sneller dan ik had verwacht, werd het normaal dat wij onze zondagen samen elders doorbrachten.

Het werd gaandeweg steeds duidelijker dat het gezin van mijn ouders, dat altijd gekenmerkt was geweest door gezinsleden die zich niet met elkaar bemoeiden, met de komst van Maria volledig uit het lood was geraakt. Toen bij een triviaal conflictje mijn moeder, waarschijnlijk dus uit compassie, bij uitzondering eens partij voor mijn vader koos, ontstond een familieruzie in de beste gereformeerde traditie. Alle familieleden, vrienden en bekenden bemoeiden zich er mee, soms uit oprechte bezorgdheid, maar vaker omdat zij met mijn vader, mijn moeder of met mij nog een appeltje te schillen hadden. De ene dominee, waarvan de enige zoon ooit een blauwtje bij Maria gelopen had, zag zijn kans op wraak schoon, waarop de andere dominee, die zijn collega een sul vond, voor ons kamp koos. Er waren zelfs een paar ouderlingen zo vlerkerig zich er mee te bemoeien. Mijn ouders gingen ervan uit, omdat een van de tien geboden luidt 'eert uw vader en uw moeder', dat zij de beste troeven in handen hadden. Ik had echter ooit tentamen speltheorie gedaan en daarvan onthouden dat toegeven een primitieve strategie is, zeker als het conflict er één was in een reeks en ongetwijfeld zou worden gevolgd door nieuwe. Met andere woorden, als ik niet zou toegeven, wat trouwens altijd en in alle gevallen al mij voorkeur heeft, zou dat ons levensgeluk enorm ten goede komen.

De situatie escaleerde dus langzaam maar onafwendbaar naar de situatie waarop slechts een definitieve breuk kon volgen. Ik geef toe dat dit moment achteraf gezien rijkelijk laat kwam, maar vanwege de gereformeerde gewoonte een conflict zo lang mogelijk te koesteren, dus ook weer niet zo laat, dat ik mij voor die traagheid zou moeten generen.

Het had Hare Majesteit Koningin Juliana kort daarvoor behaagd mij tot tweede-luitenant te benoemen, zodat ik na de zoveelste verhitte discussie, op een regenachtige zaterdagmiddag, toen ik bij toeval mijn uniform nog aan had, mijn glacés aantrok, mijn officierspet opzette en met een groot gevoel van opluchting, dat ik nooit meer ben kwijtgeraakt, de ouderlijke voordeur voorgoed achter mij sloot. Bovendien gaf het mij een prettig gevoel in een goed zittend tenue het slagveld, waar de strijd inmiddels gestreden was, achter mij te laten en vol goede moed op weg te gaan naar het volgende strijdgewoel, dat ongetwijfeld achter de horizon niet moeilijk te vinden zou zijn. Uit egard voor Abraham K. heb ik tot nu toe altijd die gewoonte om in geen geval met stille trom of vanwege de lieve vrede stilletjes door de zijdeur te vertrekken, in ere gehouden.

## Nous irons tous au paradis

Een eenvoudige rekensom leert dat wij twintig jaar later half veertig waren, de leeftijd die, om met Anthony Powell te spreken, 'confirms one's worst suspicions about life'. Die overtuiging was niet zozeer veroorzaakt door de op zich te waarderen bekentenis van ons staatshoofd, dat de leugen regeert, als wel door de onafzienbare stoet vreemde vogels, rare snijers, kletskoekverkopers, draaikonten, praatjesmakers, valse profeten, dwaalleraren, proleten, patjepeeërs, etterbakken, patjakkers, halve garen, onbenullen, oliebollen, leeghoofden, randdebielen en ander tuig, die wij inmiddels langs hadden zien trekken en waarbij wij er inmiddels vanuit gingen dat aan die optocht nooit een einde zou komen. Daardoor was ook de rustgevende zekerheid ons deel geworden, dat het verstandig zou zijn de stoet rustig, maar zonder ons, verder te laten trekken en onze eigen weg te gaan.

❦

Twintig jaar later zaten wij op een vrijdagavond met een glas Chassagne-Montrachet 'Clos Saint-Jean', waarvan ik toen nog een paar flessen had, uit te hijgen van twintig jaar banen, verhuizen, kinderen krijgen, komende en weer verdwijnende vrienden, honden en katten. Ik kwam dan ook niet onmiddellijk uit het startblok toen Maria zei:

'Vind je ook niet, dat we zo langzamerhand weer eens moeten verhuizen?'

Voordat ik met een ontwijkend antwoord verder gekomen was dan drie woorden, klonk het:

'Doe niet zo sloom, je weet best dat het hier langzamer-hand wemelt van de commerciële types.'

Nou, dat was zeker waar. Toen wij vijftien jaar daarvoor, omdat ik directeur van een Kempische sigarenfabriek was geworden, in een Brabants dorpje een huis kochten in wat in Nederland een bungalowpark heet, bestond de populatie hoofdzakelijk uit Philips-ingenieurs en hun gezinnen. Het nerd-gehalte was dus vrij hoog, maar de meesten lazen in ieder geval wel eens een boek. Bovendien was het wijkje tamelijk kinderrijk, zodat onze kinderen niet te klagen hadden over het aantal beschikbare speelkameraadjes. De ingenieurs waren inmiddels, door vele reorganisatierondes bij hun werkgever, vrijwel allemaal verdwenen. Naast ons woonde iemand die in kaas deed en er prat op ging, dat hij de uitvinder was van knoflookkaas, fabriekskaas met een knoflookbijsmaakje. Tegenover ons woonde iemand die deed in katalysatoren voor de petrochemie en aan de andere kant verdiende de buurman zijn brood met ingevroren paardensperma.

De twee eerste buren deden, zoals het commerciële lieden betaamt, niets liever dan over hun negotie praten, maar het duurde jaren voordat wij van het product van onze derde buurman te horen kregen. Ondanks zijn Bordewijkiaanse achternaam 'Bazelmans', was hij niet tot confidenties te bewegen. Onze kinderen speelden echter met die van hem en uiteindelijk kwamen wij toch achter de vreselijke waarheid.

Het was natuurlijk niet zo, dat wij ons hier dagelijks over opwonden, maar er waren net weer verkiezingen geweest, zodat wij door al die vvd-affiches weer eens met onze neus op het feit gedrukt waren dat de buurt toch wel achteruit gegaan was.

Politiek speelt in ons huwelijk trouwens een eigenaardige rol. Als wij eens ruzie hadden zei Maria altijd dat zij mij ervan verdacht stiekem op Wiegel te stemmen. Dat was absoluut niet het geval, maar ik word thuis helaas en ten onrechte niet altijd op mijn woord geloofd. Ik had de oplossing voor dit netelige probleem gevonden door mijn stemkaart steevast aan Maria te geven, met de schuchtere aanbeveling 'zie maar wat je er mee doet' en zeker niet te informeren welke partij zo gelukkig was geweest mijn stem te mogen ontvangen, want dat zou het effect alleen maar hebben bedorven. Het positieve van deze oplossing was natuurlijk dat ik daarmee het begrip zwevende kiezer naar een hoger niveau tilde: iemand die best weet wat hij zou willen stemmen, maar die geen flauw idee heeft waar zijn stem uiteindelijk heen is gegaan (hetgeen iets geheel anders is dan niet te weten wat er met zijn stem na de verkiezingen gaat gebeuren, want dat is in Nederland heel normaal). Ik vertelde mijn mededirecteuren wel eens over dit kiezersgedrag voor gevorderden, maar omdat ik de waarheid, om hun tere zielen te ontzien, soms als grapje verpak, heeft dit mijn carrière nooit schade berokkend. Een bijkomend voordeel van dit stemgedrag is, dat men zich ook op geen enkele wijze medeverantwoordelijk behoeft te voelen aan de gênante verdeling van de buit aan ministersposten en andere baantjes over vriendjes en vriendinnetjes, die nergens anders voor deugen dan voor de politiek.

Om eerlijk te zijn, de werkelijke reden voor ons beiden om aan verhuizen te denken was onze langzamerhand onbedwingbare behoefte om een grote tuin te gaan maken. Op dat moment konden wij slechts beschikken over iets meer dan honderd vierkante meter, veel te klein voor onze fantasie en ambities. Overigens had die postzegel nog moeite genoeg gekost. Eigenlijk was onze tuin pas een succes geworden, toen wij doorkregen dat het noodzakelijk was de tuin in te richten als een logisch geheel van samenhangende terrassen. Ons huis stond ongeveer middel op de kavel en er waren aan alle zijden deuren naar buiten, waardoor een fraai resultaat kon worden bereikt. Maar af is af en toen wij twee elkaar overlappende rechthoeken hadden vervangen door twee elkaar snijdende gemetselde cirkels, waren wij het er over eens dat het hoog tijd werd ergens anders aan de gang te gaan.

Nu droomden in de tijd vrij veel echtparen zoals wij van spannende tuinen. Dat was de schuld van het in 1984 verschenen boek *Het kleine paradijs* van ene Elisabeth de Lestrieux. Een plaatjesboek met stimulerende tekst, waarin tuinen werden getoond van nette echtparen die ook niet echt van bridge of golf hielden. Van die tuinen waren foto's van een verbluffende schoonheid gemaakt en wij hadden het gevoel dat wij de boot niet moesten missen: wij moesten en zouden ook die tuin van een hectare hebben.

Omdat deze tuinen geïnspireerd waren door Engelse tuinen, was alles over tuinen als Sissinghurst verplichte literatuur. Toen ik in Nigel Nicolson's *Portrait of a marriage* las dat de makers eerder, als vingeroefening, een 'kleine' tuin 'Long Barn' hadden gemaakt en dat het bij Vita Sackville-West ook ging om het hervinden van paradise lost (haar voorvaderlijk kasteel Knoles), was het gevoel van zielsverwantschap in deze compleet. Mij favoriete tuinboek is overigens nog steeds *The Englishman's Garden* van Alvilde Lees-Milne en Rosemary Verey uit 1982, met name omdat mijn favoriete tuinfoto er in staat, van een stokoude meneer, gekleed in een tweedjasje en de broek van een streepjespak, die de zeis hanteert. Het onderschrift luidt 'Sir David Scott, now in his nineties, values a turn with the scythe. Here he is trimming the grass around a treasured Rubus Tridel'. Het moet prettig zijn om als je al in de negentig bent nog ouderwets de zeis te kunnen hanteren en het moet een gevoel van bevrijdende onthechting geven als je zeker weet, dat je althans de broeken van je pinstripes in de tuin hebt kunnen afdragen. Om die reden hebben wij trouwens ook altijd een Rubus Tridel in de tuin gehad, met welke struik ook zonder deze achtergrond niets mis is.

Daar kwam nog bij, dat wij elkaar indertijd beloofd hadden onze kindertjes een lagere en middelbare schooltijd op één plaats te zullen geven. Wij kwamen allebei uit een gezin waar regelmatig verkassen de gewoonste zaak van de wereld was en wij hadden beiden steeds weer nieuwe scholen, vriendjes en vriendinnetjes niet als positief ervaren. Inmiddels ging onze zoon studeren en onze dochter was slechts bereid haar middelbare school af te maken als dat niet in ons dorpje, maar in Eindhoven kon gebeuren. Kortom, wij voelden ons vrij om binnen een straal van honderd kilometer naar dát huis met die hectare tuin te gaan zoeken. Dat ons plan misschien niet in alle opzichten praktisch was, snapten wij ook wel, maar wij waren nu eenmaal onze queeste begonnen en de ware ex-gelovige laat zich dan door niets en niemand tegenhouden.

❧

Dat weekend stond in onze krant toevallig een advertentie van een huis ergens in Noord-Limburg, dat precies was wat wij bedoelden. Het was weliswaar geen echte carréboerderij, maar een boerderij in U-vorm, met vrij veel grond, inclusief een boomgaard die doorliep tot de plaatselijke beek. Nu is het zo, dat als wij eenmaal een beslissing hebben genomen, hetgeen meestal niet te lang duurt, wij met orthodox-protestantse rechtlijnigheid popelen om zo snel mogelijk aan de slag gaan. Een dag later was er dus een afspraak met de makelaar gemaakt. Het huis voldeed helemaal aan onze verwachtingen. Als Maria haar hobbies op moet geven komt altijd 'verbouwen' prominent in het rijtje voor en dit huis schreeuwde om een aantal smaakvolle aanpassingen. Het huis was van een longarts en zijn vrouw, die, na een katholiek aantal kinderen afgeleverd te hebben, kleiner wilden gaan wonen. Een complicatie bleek te zijn dat reeds een optie was verleend aan een stichting, die het huis wilde gebruiken voor opvang van junks. Men verzekerde ons dat de stichting waarschijnlijk, als puntje bij paaltje kwam, niet voldoende geld zou hebben of zich zou hebben herinnerd, dat junks op perron-0 of in de Pauluskerk thuis hoorden en in een mooie boerderij in Noord-Limburg detoneerden. Natuurlijk had de stichting, mede door subsidies van ons belastinggeld, wel voldoende middelen, zodat wij na een week hoorden dat wij achter het net hadden gevist. Wij nemen het elke bedelende junk, die ons voor de voeten loopt, tot op de dag van vandaag nog steeds kwalijk.

Wij namen een abonnement op *De Limburger* en *Het Limburgs Dagblad* en gingen, gesterkt door deze tegenslag, aan het werk.

Reparaties aan de weg daargelaten, leidt de snelste weg naar de autoroute du soleil door Zuid-Limburg: een dertigtal kilometers naar en door Maastricht. Er valt eigenlijk niets over te melden behalve dan dat het heel merkwaardig is, dat er blijkbaar pas onlangs een Limburgse kongsi gevonden kon worden, die bereid was die bottleneck met stoplichten eens te ondertunnelen. Wij waren maar één keer samen in Maastricht geweest, om het toneelstuk La Ville dont le prince est un enfant van Henry de Montherlant te zien. Daarvan waren ons vooral de drie geestelijken op de rij achter ons bijgebleven, bij wie het thema—onoirbare relaties tussen priesters en pupillen—kennelijk enorm op de lachspieren werkte. Dat er links van de weg naar Maastricht een heel mooi 'stukske' Nederland zou liggen, hadden wij uitsluitend van horen zeggen. Ik was wel eens met schoolreisje naar Valkenburg en het drielandenpunt geweest, maar het enige dat ik mij daarvan kan herinneren is, dat er in de bus Bill Haley and The Comets en mijn favoriet Chuck Berry werden gedraaid.

Sterker nog, ik kende eigenlijk ook geen echte Limburgers. Mijn directe chef in mijn pharmaceuticatijd was geboren en getogen in Maastricht, maar daar wou hij het absoluut niet over hebben en hij sprak accentloos Nederlands. Het enige wat hem parten speelde was, dat hij het woord 'geworden' iets vaker gebruikte, dan in het ABN gebruikelijk is. Toen ik het vaderland diende bij de Staf van de Kwartiermeester-generaal, bevond (een ander woord is hier niet van toepassing) zich daar ook een overste van de Limburgse Jagers, die opviel door zijn met enige regelmaat gedane mededeling 'Mijn naam is konijn, ik weet van niets' (hij heette Conijn). De man kwam gewoon uit Den Haag en sprak correct Nederlands, maar droeg wel een baret met een badge met overdreven veel eikenblad, links en rechts van een zwaardje. De uitspraak betrof een in het leger niet ongebruikelijke waarheid, die echter meestal onder de pet of de baret gehouden wordt. De uitspraak kwam hem overigens zeer van pas, toen een paar journalisten ontdekte dat hij waarschijnlijk het brein achter de coupe der onderofficieren in Suriname was geweest. Ter voorkoming van misverstanden: 'brein' was nu ook weer niet de eerste associatie die deze overste bij zijn medeofficieren opriep.

Kortom, Zuid-Limburg was voor mij en eigenlijk ook voor Maria onbekend terrein, dat wij zonder onze gebruikelijke vooroordelen konden betreden. Wij besloten onze ontdekkingsreis zo te organiseren, dat wij in een aantal weekends, vanuit behoorlijke hotels met een gerenommeerde keuken (Limburg liep toen culinair nog een beetje voor), de onvermijdelijke ontberingen zo goed mogelijk het hoofd konden bieden.

Het eerste wat ons opviel was dat Zuid-Limburg inderdaad zeker niet lelijk was, maar dat dit fraais doorsneden werd door een onwaarschijnlijk aantal autowegen. Bovendien bleek het gebiedje een echte grensstreek te zijn met alle bordelen, kroegen en louche bedrijfjes van dien, ook spraken de inboorlingen een soort Nederlands, dat net als bij sommige CDA-politici, naar ondertiteling deed verlangen. Het huizenaanbod viel tegen, behalve een aantal bouwvallen waar volgens de makelaars keizer Karel V nog overnacht zou hebben, was er niets aparts te vinden en in ieder geval helemaal niets dat wij een tweede bezoek waard vonden. Het viel ons op dat wij bij de huizenjacht altijd hoofdpijn kregen, iets waar wij normaal nooit last van hebben. Aanvankelijk schreven wij dat toe aan de Limburgse keukens en kelders, maar omdat de hoofdpijn al opkwam voordat wij het eerste etablissement betraden, trokken wij de conclusie dat het moest liggen aan de kruidige dampen die DSM uitstoot en waar wij nog niet aan gewend waren.

Afgezien van dit kleine lichamelijke ongemak waren de weekenden zeer genoeglijk en de hotels prima. Onze zoektocht begon dan ook steeds meer op echte vakantie te lijken, waarbij de makelaars voor de nodige afleiding zorgden. Gezien onze calvinistische inborst voelden wij ons tegenover hen zelfs een beetje schuldig. Pas veel later leerden wij van een bevriende makelaar in Zuid-Frankrijk, dat het heel normaal was om een vakantie te besteden aan het zoeken van een huis, zonder de serieuze intentie te hebben ook echt iets te kopen, zodat enig gevoel van gêne volmaakt overdreven zou zijn.

Toen wij na een half jaar onze abonnementen op *De Limburger* en *Het Limburgs Dagblad* moesten verlengen, stonden wij op het punt om de conclusie te trekken, dat Limburg nog niet rijp voor ons was.

Op dat moment werden wij gebeld door een makelaar die ons verzekerde, dat hij nu een fántástische carréboerderij voor ons gevonden had, nog wel met eigen kapel, waarin de makelaar naar zijn zeggen zelf getrouwd was. Wij waren reuze benieuwd en ik zag me mijzelf al laten bekeren tot het katholieke geloof, om later in het hiernamaals, in welke afdeling daarvan dan ook, tegen mijn grootvader te kunnen zeggen: 'Vindt u het niet hartstikke goed, dat ik er ook een van mezelf alleen heb gehad?'

Die zaterdag gingen wij op zoek naar de bewuste boerderij, wat gezien de dichte mist nog niet zo simpel was. Maar toen wij er waren stonden we paf: een gigantische carréboerderij, die nog volledig in bedrijf was, met een bewoonbaar oppervlak van meer dan duizend vierkante meter, nog afgezien van een stal waarin gemakkelijk een zwembad van olympische omvang kon worden gemaakt. De makelaar en de boer leidden ons van kamer naar kamer en van opkamer naar kelder. Het was zo absurd—ook gezien de vraagprijs— dat wij onmiddellijk laaiend enthousiast werden. Er hoorde ook een nog jachthut bij, die op dat moment gebruikt werd door de jagers uit het dorp: in het groen geklede kereltjes met jachtgeweren en van die kromme toeters, die zich aan een plaatselijke kruidenbitter te goed deden. Omdat de mist inmiddels aan het optrekken was, zouden we er even een kijkje gaan nemen en dan meteen de kapel inspecteren. Wij liepen naar buiten. Op dat moment verging de wereld, een donkerbruin gespoten verlengde Boeing 747 passeerde op twee meter het dak met op volle kracht draaiende motoren. Alles trilde en schudde, het was een wonder dat de pannen niet van het dak geblazen werden. De boerderij bevond zich precies aan het eind van de startbaan van vliegveld Beek! Maria en ik keken elkaar aan en dachten aan het zelfde: aan de film Nous irons tous au paradis van Yves Robert uit 1977, waarin vier vrienden in de buurt van Parijs een maison de campagne kopen om de weekends in alle rust onder elkaar, ver van vrouwen en minnaressen, te kunnen doorbrengen. Onmiddellijk na het sluiten van de koop blijkt de rust alleen maar het gevolg te zijn van een toevallige staking op het nabij gelegen reuzenvliegveld.

Wij zeiden, dat wij nu echt nodig terug moesten, bedankten de boer en de makelaar en gingen er als een haas vandoor. We waren het er hartroerend over eens dat enige boetedoening en zelfkastijding gepast zou zijn en dat doen wij altijd door aan te leggen bij een Van der Valk.

🐏

Ongeveer een maand later kochten wij een oude boerderij met ruim een hectare grond, op nauwelijks meer dan tien kilometer van het huis waar wij op dat moment woonden.

## De Vierde Linde

Een van de noodzakelijke voorwaarden voor een aangenaam leven is het doen van alleen die dingen die echt prettig zijn. Als beide echtgenoten het er behoorlijk over eens zijn wat die dingen dan wel zijn, is ook de kans op een harmonieus huwelijk een stuk groter geworden. Voldoen aan die voorwaarde is eigenlijk niet zo moeilijk, het vereist alleen enig talent om nee te zeggen en voldoende creativiteit bij het vinden van acceptabele smoezen.

Wij hebben beiden om te beginnen een enorme afkeer van karnemelk, een drankje dat ons doet denken aan het braaksel van mijn immer wagenzieke zusjes, tegen karnemelk kun je nee zeggen en er is altijd wel een smoes om niet naast iemand te gaan zitten, die deze viezigheid zit te slobberen. Een stapje ingewikkelder is het nee-zeggen tegen onwelkome uitnodigingen, zoals van een zakenrelatie die apetrots is op het feit, dat hij het Concertgebouworkest sponsort. Nee-zeggen is dan wat cru, maar het excuus dat wij beide lijden aan een een lichte vorm van claustrofobie en dus niet graag in een volle concertzaal zitten, heeft meestal ieders sympathie. Weer een stapje moeilijker is het vermijden van zogenaamde zakenreizen, ook als de zaken ook heel goed per telefoon gedaan zouden kunnen worden. Het vereiste altijd enige tact om een collega, die zit te zeuren of je meegaat terwijl je daar zelf helemaal niets in ziet, uit te leggen dat je dat in zijn belang beter niet kon doen. Het alleringewikkeldst is je ontrekken aan bezigheden, waarvan iedereen beweert dat ze leuk zijn, zoals sport. Sport niet leuk vinden is het doorbreken van een taboe en een taboe trotseren vereist natuurlijk nee-zeggen voor gevorderden. Ik hou niet erg van sport omdat ik er niet goed in ben en bovendien een hekel heb aan gesprekken over sport, omdat die altijd van een verpletterende banaliteit zijn. Van die verhalen aan de bar over ene Jan-Peter, die de bal op de negende hole zo knap uit de rough sloeg en daardoor toch nog een birdie kon maken, dat soort gesprekken. Ik heb tegenwoordig handicap 23.2, precies voldoende om me van dit soort gesprekken te kunnen distantiëren en bij golf toch redelijk serieus te worden genomen. Wat ook heel praktisch is, is het beoefenen van een sport, die vrijwel niemand doet. Een truc die ik heb geleerd van iemand die ook niet van sport hield en daarom aan zoiets ridicuuls als curling was gaan doen. Ik ben lid van een schietclub en als ik dat in een gesprek over sport terloops ter sprake kan brengen en daarbij heel bescheiden vertel, dat ik een vergunning heb voor een Smith&Wesson 686 magnum (type Clint Eastwood) en een Luger uit 1916, nog gemaakt in de Königliche Preußische Gewehre- und Munitionsfabrik in Erfurt en dat op die vergunning staat dat ik meesterscherpschutter zwaar kaliber ben en er niet bij vertel, dat dit er bij iedereen op staat, gaat het meestal meteen over iets anders.

Maria vindt dit soort rituele gesprekken overigens heel erg kinderachtig en absoluut overbodig. Zij komt er altijd graag en rond voor uit, dat zij sport een onsmakelijke zweterige bezigheid vindt. Zij vertelt er, omdat de toehoorders dan steevast protesteren, bij dat zij op de middelbare school daarom dus consequent bij gymnastiek spijbelde. Als gevraagd wordt of dat zomaar kon, legt zij uit dat toen bij haar eindexamen de gymnastieklerares er achter kwam, dat zij nog steeds op school zat en niet na de eerste klas naar elders was vertrokken, er, omdat gymnastiekdocenten nooit gevoel voor humor hebben, een rel ontstond die alleen maar kon worden gesust, omdat de rector een studievriend van haar vader was en als gepromoveerd neerlandicus sport ook een abjecte bezigheid vond.

Over het feit dat wij ons plan om een carréboerderij te kopen zomaar lieten varen, waren wij dus ook niet trots en wij vermijden nog steeds elk gesprek over dit pijnlijke punt.

❦

Het huis dat wij kochten was een vreemd huis en wij kochten het van een vreemde figuur. De man had samen met zijn vrouw een aantal winkels in lederen kleding van het type, dat door Maarten Toonder vereeuwigd is in *Tom Poes en de jakker-jekker*. De man had, zo bleek later, zelf ook een geduchte reputatie als het ging om jakkeren. Hij had ooit de boerin, die wekelijks het huis kuiste, in zijn blootje achterna gezeten, terwijl hij onderwijl zijn joystick met de hand in de juiste stand en op de gewenste spanning bracht. Dat instrument bevond zich overigens onder een embonpoint, die niet over het hoofd gezien kon worden en in de keuken hing dan ook een tegeltje van een bloot mannetje met een dikke pens met de tekst 'goed gereedschap hoort onder een afdakje', wat in elk geval bewijst dat tegeltjeswijsheden ook wel eens de spijker op de kop kunnen slaan. Nu weten boeren over het algemeen bronstig gedrag wel naar waarde te schatten en de man van de boerin zag dan ook na dit voorval geen enkele reden ten huize van de leerkoning niet als klusjesman te blijven optreden.

Drie dagen nadat het voorlopig koopcontract was getekend, kreeg onze vriend ineens spijt en bewoog hemel en aarde om de koop ongedaan te maken. Dat was in zoverre een streep door onze rekening, omdat wij hadden laten vastleggen, dat hij alle troep die zich in het bijbehorende bakhuis bevond (stro, oude winkelinventaris, zeven kapotte diepvrieskisten en nog veel meer), uiteindelijk voldoende om drie grote maat containers mee te vullen, op zijn kosten zou laten afvoeren. Omdat wij nu de belangrijkste stok achter de deur, het annuleren van de koop, kwijt waren, kwam daar niets van terecht. Bovendien wilde hij, toen wij niet thuis gaven, allerlei inventaris aan ons overdoen, hetgeen in de Kempen weliswaar niet ongebruikelijk was, maar waarin wij natuurlijk geen zin hadden. Daarop werd een 'vide-grenier' georganiseerd, waarvoor onze leerkoning twee Tilburgse zware jongens in de arm nam, om de door hem verwachte drukte in goede banen te leiden en die tot leedvermaak van de buurt de hele dag niets te doen bleken te hebben. Zelfs op het laatst, bij de notaris, kregen we nog ruzie over drie niet-gekortwiekte pauwen, die hij voor vijfendertig gulden bij ons achter wilde laten. Op zich waren het wel grappige beesten, maar onze cocker spaniëls hadden ze inmiddels ontdekt en de jacht geopend. Bovendien landen pauwen bij voorkeur op het dak van auto's, omdat zij van daaruit de boel goed kunnen overzien. Merkwaardig veel mensen zijn bang voor krassen op hun blik. Kortom, we waren behoorlijk opgelucht toen de vorige bewoners uiteindelijk waren opgehoepeld.

Wij kwamen er al snel achter dat hij indertijd het huis in halfafgebrande staat had gekocht van een architect, die het huis van de laatste echte boeren, Stan en Leentje, had overgenomen. Iedereen in de buurt wist te vertellen dat de architect eigenlijk niet voldoende geld had gehad voor de verbouwing en dat de vrouw van de architect het er vreselijk had gevonden. Het huis stond op een carnavalsnacht, bij twintig graden vorst, ineens in lichterlaaie. Een van de boeren kon zich nog herinneren, dat toen hij met gevaar voor eigen leven een paar schoenen van mevrouw uit de vlammen had gered, hem vriendelijk doch dringend was verzocht ze weer in het vuur terug te gooien. Het was dan ook niet verbazingwek-

kend, dat de buurt een houding had van 'het zal ons benieu-
wen, wat voor volk er nu weer in de buurt komt wonen'.

Nu was ik al wel bekend met de Brabantse folklore van de
'in de brand/uit de brand'-branden. In mijn sigarentijd gingen we, dat wil zeggen de directie en de twee aandeelhouders, beide toen al in de zeventig, eenmaal per week eten bij
de plaatselijke Michelin-ster. Op zich was het natuurlijk heel
normaal dat sigarenfabrikanten, als makers van een van de
betere genotsmiddelen, een goede maaltijd en een goede fles
wijn een voorwaarde vinden. Het zou eerder vreemd zijn als
een sigarenfabrikant een voorliefde zou hebben voor stati-
onsrestauratievoer of troep uit een shoarmatent. Het enige
wat altijd bleef knagen, was de wetenschap dat Nederlandse
sigaren het nooit zouden halen bij havanna's. De meer we-
reldwijzen onder ons rookten dan ook bij voorkeur een Mon-
tecristo no. 2, een grote havanna in de vorm van een torpedo
of een El Rey de Mundo, gran corona, die ook lekker licht
rookt — voor een havanna — en niet zo zwaar is als bij voorbeeld een Partagas. Dit havannagevoel is eigenlijk nog het
beste weergegeven door het chanson, gezongen door Serge
Gainsbourg en Catherine Deneuve, 'Dieu est un fumeur des
havanes', uit de film Je vous aime van Claude Berri uit 1980 en
wij waren ons van dit geloofsfeit terdege bewust. Dit terzijde.

Die wekelijke lunches waren altijd weliswaar reuze genoeglijk, maar weinig spannend. De ene aandeelhouder had
de vaste gewoonte het bakje met alikruiken, die in die tijd
overal als borrelhapje op tafel stonden (met van die knop-
spelden op een kurk) voor de asbak aan te zien en nam nooit
deel aan het gesprek, behalve die ene keer toen hij per ongeluk bij de jacht zijn eigen hond had omgelegd. Zijn iets jongere broer, die de andere helft van de aandelen had, was de
drijvende kracht achter het bedrijf. Hij bezat de onder on-
dernemers erg zeldzame eigenschap zich te kunnen beper-

ken tot het essentiële en kon de verleiding van het niet bij de les en de leest blijven weerstaan. Zijn adagium was dan ook 'sigaren zijn small business'. Hij droeg altijd een donkerblauwe krijtstreep, waarin zijn Brusselse kleermaker aan de rechterkant een iets grotere zijzak had gemaakt, zodat daar een doos van zijn privésigaren in paste. Het sprak voor zich dat hij altijd de wijn uitzocht en dat was, gezien zijn behoudend karakter, altijd Château de Tracy, hoezeer wij ook aandrongen op enige variatie. Wij kozen uit balorigheid en als stil protest dan ook altijd gepocheerde tarbot met spinazie en met sauce hollandaise. Zijn oudere broer deed overigens aan dit ritueel niet mee, die bestelde altijd een zeetong à la meunière en nam daarbij altijd een paar glazen Nuit Saint-Georges 'Les Allots', waarnaar wij dan altijd met afgunst keken.

Op een keer zeiden de chauffeurs, toen ze ons bij het restaurant afzetten, dat ze ons om kwart voor twee weer zouden komen ophalen. Dat was natuurlijk veel te snel en wij vroegen streng wat die onzin te betekenen had. Zij legden uit dat wij in elk geval om vijf voor twee terug moesten zijn op kantoor, omdat om precies twee uur de boerderij aan de overkant van de fabriek in de hens zou gaan, iets wat wij toch zeker niet zouden willen missen. Nu geloofden wij hen wel, onze chauffeurs zaten met een aantal andere personeelsleden bij de vrijwillige brandweer, dus ze zouden wel weten wat er speelde. Bovendien wist iedereen, dat het plan van de boer om zijn boerderij tegen een buitensporig bedrag door de gemeente te laten onteigenen pas kort daarvoor was mislukt.

Even voor twee hadden wij een rijtje stoelen voor het raam gezet, een fototoestel geregeld en wachten af. Inderdaad, precies om twee uur kringelde de eerste rook onder de dakpannen uit en om twee over twee, dus veel te vroeg, kwam de brandweerauto aanrijden. De brandweerlieden begonnen in een veel hoger tempo dan wij van ons werkvolk gewend waren slangen uit te rollen, koppelingen te maken en te spuiten. Binnen vier minuten klonk, zoals dat heet, het signaal 'brand meester'. Dat was natuurlijk helemaal niet de bedoeling, halfafgebrande gebouwen leiden altijd tot onaangename discussies met de verzekering, maar de boer lag niet goed bij de jongens van de brandweer. Wij moesten nog jaren tegen de ruïne aankijken.

Zoals ik al zei, onze nieuwe huis was een rare boerderij, maar waarom was niet een-twee-drie onder woorden te brengen. Maria vond het een kitschboerderij; daar was ik het niet mee eens, zeker niet toen we de luiken en andere later aangebrachte rustieke elementen er af gesloopt hadden. Bovendien was de boerderij al sedert de bouw in 1850 zo geweest en er stonden in de buurt nog twee, die er precies zo uitzagen. Voor mij leek het er meer op, dat in die tijd een aannemertje het plan opgevat had eens iets minder traditioneels te bouwen, maar toen door de pastoor op de verderfelijkheid van deze nieuwlichterij was gewezen, zodat het bij drie was gebleven. De onzekerheid heeft lang geduurd, maar op een warme voorjaarsdag jaren later, het huis was juist weer door ons verkocht, zo'n dag waarop de belangrijkste levensvraag is of de kap nu al wel of nog net niet naar beneden kan, reed ik in mijn cabriolet door de Alexanderstraat in Den Haag, toen ik bij de tramhalte een disputgenoot uit mijn Amsterdamse tijd zag staan. Inmiddels was onze F. op zijn minst wereldberoemd in Nederland geworden, ondanks het feit dat zijn opvallende carrière nogal geleden had onder zijn onbedwingbare neiging tot excentriek gedrag. Die mooie lentedag droeg hij, van beneden naar boven, een paar bergschoenen, dikke wollen sokken, met van die flosjes, waaruit in corduroy verpakte spillebenen staken, dan een nog uit zijn diensttijd in de jaren vijftig stammende, inmiddels donkerblauwgeverfde en gedemilitariseerde officierswinterjas met daarop als trendy accent een rugzakje, een witte wollen shawl, terwijl zijn hoofd was versierd met een Astrakan bontmuts van het type dat je vroeger zag op 1 mei op de tribune op het mausoleum van Lenin. De tram kwam er al aan en je kunt daar onmogelijk parkeren, zodat ik maar gewoon doorreed, maar ik had nu het licht gezien. Ons huis leek op het hoofd van iemand met een oversized bontmuts! Die indruk werd nog versterkt doordat het dak van donkergrijs verschoten riet was, terwijl de muren witgepleisterd waren, met een type pleister dat in Frankrijk cache-problème-pleister wordt genoemd. Alle verbouwingen aan het huis in de loop der jaren waren met andere steen uitgevoerd, zodat een flinke laag pleisterwerk voor de architect terecht de enige oplossing was geweest.

Van binnen was het huis een stuk normaler. Zoals gebruikelijk in verbouwde boerderijen, was de deel (waar vroeger het vee huisde) veranderd in een woonkamer met de omvang van een tennisbaan. In die woonkamer had de architect een open haard gebouwd in de vorm van een gigantische ronde zuil en de ruimte onder de kap was voor de helft gebruikt voor een mezzanine. Onze voorganger, die van de jakker-jekker, had om die zuil een open wenteltrap laten aanbrengen, overduidelijk vanwege het uitzicht op de andere sexe als hij op de bank voor de open haard zat. Maria gaf dan ook onmiddellijk de opdracht het ding te slopen. De rest van het interieur was meer een decor dan echt: wat schotjes en schrootjes van het type groot huis — klein budget. Zonder ons dan ook te hoeven schamen konden wij het hele huis tot casco terugbrengen om het daarna weer naar ons eigen idee weer op te bouwen. Het bakhuis, waar wij een guest house van wilde maken, was nog volledig kaal. Er zat nog wel een bakoven in, maar die was in een te slechte staat om nog gered te kunnen worden. In die tijd was er ter plekke weliswaar nog geen aardgas en kabel, maar zelf broodbakken was nog niet in de mode en een goede pizza kon in de buurt al wel besteld worden. In de tuin stonden nog wat schuurtjes en een volière. Met volières had ik, zoals eerder geschreven, geen positieve ervaringen en de schuurtjes zouden het op één na ook niet overleven (in Brabant is het gebruikelijk dat de man zijn vrije tijd in het schuurtje doorbrengt, zodat hij binnenshuis de boel niet kan bevuilen).

Het zou trouwens ondenkbaar zijn geweest, dat wij zonder ingrijpende werkzaamheden in iemand anders bedoeninkje zouden kruipen. Als wij in de vakantie eens een huis huurden, namen wij altijd een extra groot huis met veel kamers. Wij kozen dan een paar kamers, die ons wel aanstonden en die werden eerst goed (echt goed) schoongemaakt, om vervolgens opnieuw gemeubileerd te worden. Gelukkig hebben wij in ieder geval deze kieskeurigheid op onze kinderen kunnen overbrengen. Toen wij een paar jaar geleden met onze kinderen, met aanhang, twee weken in het Franse departement Var doorbrachten, werden de eerste twee dagen besteed aan een interne verhuizing annex ruilbeurs. Omdat wij vinden dat onze veranderingen ook altijd een aanzienlijke verbetering zijn, zetten wij nooit iets terug. Het is verdrietig dat er bij de eigenaren nooit een bedankje afkan.

Zoals iedereen weet moet het strippen van een oud huis met enig overleg gebeuren en moeten draagmuren ontzien worden. Enkele flodderige wandjes en een vlizotrap lagen natuurlijk in een oogwenk op de container (waarvan we er uiteindelijk elf nodig bleken te hebben). Toen wij begonnen aan de woonkamer, de vroegere deel, waar een afschuwelijke tavertinvloer uit moest, ontstond lichte paniek. De drilboren konden er niet doorkomen en enige tijd later reed een voertuig op tracks door de tuindeuren naar binnen. Het leek nog het meest op een brencarrier uit de Tweede Wereldoorlog, waarbij het machinegeweer was vervangen door een hele grote kangoo. Daarmee was de klus redelijk snel geklaard; tot ieders verbazing bleek de vloer ongeveer veertig centimeter dik te zijn, veertig centimeter beton zó op de stront van de oorspronkelijke potstal gestort. Behalve beton moesten er dus ook vele kubieke meters zeer oude mest afgevoerd worden en worden vervangen door zand.

We hadden onszelf hiermee bewezen niet voor een kleintje vervaard te zijn, zodat wij besloten meteen ook maar te gaan zandstralen. Het rieten dak werd, behalve door de muren, gedragen door acht grote houten palen met daarop vier dwarsbalken. Door die constructie — ongetwijfeld een prima idee van de architect — werd de toch grote ruimte op een heel natuurlijke en rustige wijze ingedeeld. De verkopers hadden ons verteld, dat de palen gemaakt waren als dukdalf, dus van een of ander zeewater bestendig hardhout. De palen waren in het bekende jaren tachtig donkerbruin geschilderd en die verf moest er af. De goedkoopste manier om dat voor elkaar te krijgen was zandstralen en het lukte een mannetje in een soort ruimtevaarderspak prachtig blond hout te voorschijn te toveren. Dat het daarna nog vele jaren duurde voor al het zandstraalzand weer opgeruimd was, is natuurlijk maar gezeur. Daarna waren er nog wel kleine tegenvallers, zoals nog een volle gierkelder onder de vloer van het bakhuis en hier en daar ontbrekende fundering, maar dat waren slechts onbeduidende details.

Na een flinke maand kon met de opbouw begonnen worden. Wij waren inmiddels al op zoek gegaan naar een klein aannemertje, dat precies wilde doen wat wij zeiden, ons van het onmogelijke zou afhouden en toch vakwerk kon leveren. Dit lijkt logisch, maar het kon in de Kempen ook anders. Toen ons vorige huis klaar was, kwamen wij tot de ontdekking dat wij de kelder vergeten waren. Dat kan natuurlijk gebeuren, maar zoals het gaat met dat soort dingen, het blijft knagen en na een paar jaar besloten wij de vergissing alsnog ongedaan te maken. Ik vond iemand die bereid was met de hand onder het huis een gat te graven van twee bij drie en tweeënhalve meter diep. Echter op één meter tachtig bleek een ondoordringbare leemlaag te liggen, zodat de kelder uiteindelijk onder een clouloos opkamertje kwam te liggen, met een houten luik in de vloer, dat de toegang was tot de keldertrap. In ieder geval was het zeker niet geworden wat wij bedoeld hadden en tot overmaat van ramp bleek in de eerst volgende natte winter de kelder zo lek als een mandje te zijn, zodat alle etiketten door de kelder dreven en wijndrinken steeds discussies opleverde over wat we nu weer onder de kurk zouden kunnen hebben, discussies die slechts beslecht konden worden door de fles daadwerkelijk te ontkurken. Om een lang verhaal kort te maken, de kelder werd weer dicht gegooid en het opkamertje werd weer een normaal televisiekamertje, dat verder prima voldeed, zij het dat de radiatoren wat krap bemeten bleken te zijn.

Nu zijn bouwvakkers op het platteland in twee dingen gespecialiseerd: boerenschuren en huizen van bouwvakkers. Het eerste spreekt voor zich, het tweede heeft enige uitleg nodig. Waar wij woonden, bouwden bouwvakkers, met hulp van vrienden en collega's en met materialen die van her en der meegenomen werden, in de avonduren hun eigen huis. Volgens ons is dat trouwens de belangrijkste reden waarom bouwvakkers zo vaak en zo jong in de wao belanden. Na de normale dagtaak en wat junkfood, wordt 's avonds nog een uur of zes in straf tempo aan eigen huis of dat van vrienden geknutseld. We waren dus gewaarschuwd.

De aannemer die indertijd ons vorige huis gebouwd had en waar we nogal tevreden over waren, was inmiddels na een overmoedig Belgisch avontuur failliet gegaan. De man bleek dan ook maar al te graag bereid voor een schappelijk bedrag als bouwcoördinator op te treden en vond al snel twee timmerlieden en een metselaar/tegelzetter. De oudste timmerman, Jan, die het aan zijn hart had, was tot voor kort zelf aannemer geweest, maar eveneens op de fles gegaan. De andere timmerman, Piet, een maaglijder, had vroeger bij hem gewerkt. De metselaar, Jos, met dezelfde achtergrond, had het aan zijn rug. Kortom, een ideaal trio om onder de straffe leiding van Maria precisiewerk te leveren. Omdat het drietal bovendien weinig affiniteit had met het bancaire betalingsverkeer, sprak Maria met hen af wat de klus voor de week zou zijn, zij dienden dan dezelfde dag nog een begroting in, waar de bouwcoördinator soms wijzigingen in aanbracht en aan het eind van de week overhandigde Maria een enveloppe. Dat werkte naar ieders tevredenheid, waaruit maar weer blijkt dat ondernemend Nederland nooit het wekelijkse loonzakje had moeten afschaffen. Nog belangrijker bleek het in de praktijk te zijn dat Maria elke avond de werkplek controleerde en de rommel, die de heren hadden gemaakt, opruimde, zodat zij geen enkel excuus hadden om de volgende dag niet meteen flink de handen uit de mouwen te steken.

Jan was een zeer gezien man in het dorp; iedereen kende hem en hij kende iedereen. Als er eens op stel en sprong een loodgieter of glaszetter nodig was, dan lieten die voor Jan graag het werk dat zij op dat moment bij anderen onder handen hadden even rusten om Jan bij te staan. Zelfs de plaatselijke rietdekker, bij wie iedereen drie jaar moest wachten om op de wachtlijst te mogen komen, kwam onmiddellijk toen Jan hem vroeg even een extra dakkapel te maken. Alleen omdat Jan ruzie had met de enige schilder van het dorp, moest even gezocht worden naar een paar schilders. De bouw-coördinator kende echter twee medewerkers van de onder-houdsdienst van een hele grote fabriek in het zuiden des lands. Deze lieden kwamen dagelijks precies om vier uur op een Harley-Davidson aanrijden, om volkomen uitgerust nog enkele uurtje bij ons te kwasten. Zij oogsten bij Jan, Piet en Jos altijd enorm veel bewondering voor de kwaliteit van de verf, die zij meebrachten en die ons maar een prikje koste.

Het werk vorderde gestaag, maar toch wel erg langzaam. Jan weet dat aan het feit dat in zo'n oud huis niets waterpas is en bij geen enkele deur, raam of wat dan ook sprake was van standaardmaten, dus alles met de hand gemaakt moes-ten worden. Wij hielden het er op, dat zij nog geen werk ge-vonden hadden voor na onze klus. Tijdens de bouwvakva-kantie zou het werk drie weken stilliggen, maar Jos bleek iets tegen vakantie te hebben en wou graag doorwerken. Toen Jan daar na de bouwvak achter kwam, was de sfeer wel een paar weekjes een beetje gespannen. Eind oktober wilden wij het span kwijt, huurden nog twee timmerlieden in, zodat wij na driekwart jaar een punt achter de hele verbouwing konden zetten.

Jan zagen wij nog vaak op wat tegenwoordig de plaatselij-ke hangplek voor ouderen heet, Piet overleed het jaar daarop uiteindelijk toch aan maagkanker en Jos heeft tot wij het huis weer verkochten nog vele werkjes voor ons gedaan. Jos was goud waard, hij had weliswaar een slechte rug, maar wist pre-cies waar alle leidingen lagen.

❧

Ons nieuwe huis was ruwweg vier keer zo groot als ons oude, zodat er nogal wat spulletjes bijgekocht moeten worden. Ge-lukkig hadden wij lang kunnen nadenken over de inrichting en stapels woninginrichtingtijdschriften hadden ons de heilige overtuiging gegeven dat wij zeker geen binnenhuisarchitect nodig hadden. Dat betekende overigens niet, dat onze inrichting niet sterk beïnvloed was door wat wij in die tijdschriften tegenkwamen. Met name wat wij daar zagen van ene Terence Conran leek ons wel wat. Zijn type inrichting paste volgens ons uitstekend op het boerenland en is het bewijs dat een oude boerderij niet per se met bric-à-brac volgestouwd hoeft te worden. Overigens is het ondergaan van de invloed van een goede binnenhuisarchitect, of het na-apen van zijn of haar stijl, niet helemaal zonder risico.

Ik had net wat geld geërfd van een vrouwelijke bloedverwant, toen Maria midden op een zebrapad in het centrum van Eindhoven aan mij vroeg:

'Zou je het eigenlijk niet leuk vinden om van dat geld een herinnering aan haar te kopen?'

Ik had het geld best aan een beeld willen besteden, maar in plaats daarvan zei ik: 'Het lijkt me niet, maar ik ben vandaag wel in de stemming om geld uit te geven aan iets overbodigs.' (Een inadequate reactie, die onmiddellijk werd afgestraft).

Aan het eind van het zebrapad bevond zich een winkel in Perzische tapijten en in een oogwenk stonden wij binnen. Er bleken buitengewoon veel Perzische tapijten te bestaan en die waren op stapels gelegd als flensjes in een flensjestaart. De grotere exemplaren hingen aan de wand. Wij lieten ons uitgebreid voorlichten en na veel vijven en zessen kochten wij er één van acht bij vier, met kleuren en patronen, die ons de minste associatie gaven aan horecaperzen. De volgende dag werd het tapijt gebracht en een paar uur later waren wij tot de conclusie gekomen dat wij ons ernstig vergist hadden. Er moest dus geruild worden en een week later zaten wij met een zogenaamde bidjar van acht bij veertien, waarvoor drie man nodig waren om hem op zijn plaats te krijgen en die uiteraard aanzienlijk duurder was. Onze honden vonden het geweldig en lagen zich regelmatig op hun rug te schurken. Uiteindelijk vonden wij het kleed toch niet bij onze stijl passen en het verdween met hulp van twee buren naar zolder. Advertenties in het Rotaryblaadje leverde geen respons op en uiteindelijk raakten wij het voor een rotprijs kwijt op een of andere louche veiling. Inmiddels hadden wij in de tijdschriften wel gezien, dat Conran geen perzen, maar dhurries toepasten, maar toen hadden wij allang geen zin meer in nog een herinnering aan tante.

Daar bleef het overigens niet bij, maar over rollen apart behang en gordijnen, die in Parijs werden gekocht en waarmee ik dan liep te zeulen, zullen wij het niet meer hebben.

Langzaam maar zeker werd het wel zoals wij ons dat altijd voor ogen hadden gehad. Ook het feit dat de meesten die ons nieuwe huis bezochten, het maar niets vonden, gezien hun beleefd neutraal commentaar, sterkte ons in de overtuiging dat wij wel goed zaten.

Ongeloof wordt bij ons ook in hoge mate gestimuleerd door de angst, dat het management van het hiernamaals gebruik maakt van de zelfde woninginrichter als Van der Valk. Alleen als de hemel ingericht is en dezelfde keuken heeft als 'Michel Bras' in Laguiole, zijn wij bereid alles nog eens in heroverweging te nemen (alleen van die rare messen, die ze daar hebben, hoeven van ons niet).

❦

Het huis kreeg ook een naam. Voor het huis stonden drie, bijna een eeuw oude linden, een vierde, verreweg de mooiste, stond voor het bakhuis. Een grapjas stelde voor 'Unter den Linden'. Het werd, met dank aan Gerard Reve, 'De Vierde

Linde', naar de mooiste, de vierde, linde die voor het bakhuis stond.

$$\text{❧}$$

Nu kwam een kritisch moment, de onvermijdelijk housewarming party. Elk diner of elk feestje vereist natuurlijk nauwkeurige planning en ook over het uitnodigingsbeleid moet goed nagedacht worden. Met groepen gasten die elkaar niet of nauwelijks kennen en bovendien geen boodschap aan elkaar hebben, wordt het niets. Als het gezelschap in groepen uiteenvalt, die elkaar alleen maar staan te begluren, maar die het doodeng vinden op elkaar af te stappen, wordt het ook een ramp. Een amusante chaos zoals bij de housewarming van de familie Flodder, uit de gelijknamige film, is helaas niet spontaan te verwachten. Wij kozen voor drie aparte feestjes: vrienden en kennissen, de buurt en de 'mensen van kantoor'. Alles verliep harmonieus en de boel werd niet beschadigd.

Er kwam nog een vierde festijn, met de Raad van Commissarissen van het bedrijf waar ik toen in de raad van bestuur zat en waarvan de voorzitter dol was op feestjes! Die voorzitter kende ik overigens al wat langer, van twee banen terug, toen hij ook al de reputatie had een wolf in schaapskleren te zijn. In zijn geval was die kwalificatie overigens veel te mild, het ging meer om een gier in pauwentooi. Hij was ruim één meter negentig, zodat 'beware of the little ones' niet van toepassing was, had een vriendelijke, intellectuele uitstraling en buitengewoon goede manieren. Ook was hij altijd onberispelijk gekleed, zonder dat quasi-Engelse, dat bij Nederlandse bankiers nogal eens voorkomt.

Hij was bovendien heel erg gesteld op zijn Nederlandse Leeuw, omdat de kleuren daarvan, destijds geel en blauw, beter bij de kleurnuances van zijn pakken paste, dan dat overdreven oranje, dat eigenlijk nergens goed op staat. Zelfs als hij eens, bij uitzondering, tussen de vergaderingen door zijn gezicht liet zien en dan altijd een blazer droeg, ontbrak zijn lintje niet. Zijn blazers hadden natuurlijk niet van die ordinaire blikken knopen, maar donkerblauwe, met daarop het wapen van zijn zeilvereniging. Toen ik hem jaren later eens in 'De Witte' tegen het lijf liep, verbaasde hij mij dan ook nogal omdat hij zijn lintje thuis gelaten had, terwijl dat gezien zijn outfit van de dag juist perfect had gepast. Ik kon mijn nieuwsgierigheid niet bedwingen en hij wilde mij wel vertellen dat hij zijn onderscheiding sinds de wijziging van het decoratiesysteem nooit meer droeg. In zijn tijd, immers, was de Nederlandse Leeuw voorbehouden aan de echte steunpilaren van de maatschappij, zoals hij. Nu kregen randdebielen, die hard konden schaatsen, mevrouwen die jarenlang de dame pipi van het parlement waren geweest en artiesten die wezenlijk bijgedragen hadden aan de verloedering van de Nederlandse taal en de vergroving van de zeden, zo'n ding. Toen ik hem, naar waarheid, vertelde dat ik om een vergelijkbare reden ooit zo'n ding geweigerd had, besloten wij samen een uitsmijter te eten en een glaasje sociëteitswijn te drinken.

Hij had dus iets met uiterlijk vertoon en zijn speciale nummertje was zijn maandelijkse reis, per Concorde, naar New York, waar hij ook een commissariaat had. Nu was reizen per Concorde iets wat je echt moest willen. Het vliegtuig vloog inderdaad heel erg snel, maar de tijdwinst ging altijd weer verloren door problemen met aansluitingen. Bovendien was de Concorde erg lang en het gangpad erg smal. Iemand die voorin zat moest dus heel lang wachten op zijn glas champagne Krug en de hap. Maar goed, het ging natuurlijk om de show en hij plande de vergaderingen altijd zo, dat hij kon zeggen dat hij zojuist per Concorde uit New York was gearriveerd.

Nu komt ijdelheid, ook in kingsize vorm, in het bedrijfsleven wel vaker voor, dat was ook niet het probleem. Het risico zat in 's mans absolute onbetrouwbaarheid, iedereen wist dat hij afspraken alleen maar nakwam als hem dat paste. Eigenlijk kon zelfs gezegd worden dat er een zekere consistentie in die onbetrouwbaarheid zat, waardoor er toch goed rekening mee gehouden kon worden. Meer problemen leverde zijn verborgen agenda op. Bijvoorbeeld toen eens een conflict met de huisbankier alleen maar, met instemming van de commissarissen die wel bereikbaar waren, opgelost kon worden door er mee te dreigen naar een andere bank te gaan. Toen de president-commissaris van vakantie terugkwam en er van hoorde, ontstak hij in grote, maar voor ieder onbegrijpelijke woede. Later hoorde ik toevallig van zijn vrouw, die natuurlijk het hele voorval niet kende, dat hij juist daarvoor zijn minder succesvolle zoontje een baantje bij die huisbank had bezorgd.

De raad van commissarissen was, gezien de omvang van het bedrijf, wat ruim uitgevallen, maar dat gebeurt wel meer omdat de politiek bedacht heeft dat soms niet de aandeelhouders maar de raad van commissarissen zelf de raad maar moet benoemen. Waarmee vriendjespolitiek — meestal kiezen de zittende commissarissen een bekende of iemand die zij willen leren kennen — in Nederland van een wettelijk fundament is voorzien. Ik ben zelf ook wel eens commissaris geweest en het systeem kan best werken als iedereen zijn gezond verstand gebruikt. Helaas gaat het ook wel eens fout, als iemand wordt aangetrokken die het leiden van een bedrijf slechts van horen zeggen kent. Zo had een aantal jaren terug de raad bedacht, dat het gezamenlijke prestige zou worden vergroot als er een ex-minister en een hoogleraar bij zouden komen. Die minister was allang weer afgetreden, maar de hooggeleerde was helaas nooit op dat idee gekomen. Ik kende de professor al wat langer, omdat wij toevallig lid waren van dezelfde golfclub. Hij was zeker een goede golfspeler, handicap 12, en wij hadden bij een clubwedstrijd weleens samen met één caddie, die ze bij ons nog hebben, gedaan. Zijn professionele specialiteit was Spaans krombaangeschut uit de zestiende en de zeventiende eeuw en verder droeg de hooggeleerde bij begrafenissen altijd een lange rechte regenjas en een bolhoed, zoals vroeger de umpires bij cricket. Zijn inbreng was, gezien zijn academische achtergrond en het feit dat wij niet in antieke Spaanse houwitsers deden zeer beperkt. Maar het was een aardige man, die ons niet voor de voeten liep.

Dat gold niet voor een commissaris, die in zijn werkzame leven secretaris-generaal van een of ander ministerie was geweest en die, zoals dat bij hoge ambtenaren wel meer voorkomt, er vast van overtuigd was dat hij overal verstand van had. Die eigenwijsheid werd bovendien nog versterkt door het feit, dat hij nog steeds fijn-gereformeerd was en er dus vanuit ging, dat hij vooraangestaan had toen Onze Lieve Heer de hersens aan het uitdelen was geweest. Jammergenoeg voor hem werd hij door niemand erg serieus genomen, omdat hij zich gedroeg en kleedde als mr. Humphries uit de bekende televisieserie 'Are you being served' en bij de lunch graag mocht vertellen over zijn zoon, die toneelspeler en homosexueel was en die net weer, met zijn partner, een dol weekend bij hem had doorgebracht. Hij deelde verder met vele gereformeerden van zijn generatie een voorliefde voor sterke verhalen over eigen heldendaden in het verzet die, door hem verteld, nogal camp overkwamen.

De president-commissaris was dus dol op feestjes en die feestjes vonden nogal eens plaats op dagen waarop sprake was van moeizame vergaderingen, zoals een aandeelhoudersvergadering na een jaar waarin de winst een beetje was tegengevallen. Mijn collega's en ik hadden dan alle zeilen bij moeten zetten om de aandeelhouders te apaiseren, terwijl de commissarissen geïnteresseerd hadden toegekeken hoe wij het er van afbrachten. Aan het eind van de dag hadden wij het dan wel gehad, terwijl de geachte toezichthouders juist rijp geworden waren voor een alcoholisch verzetje. Een zogenaamd herendiner kon nog net, hoewel het voor veertig- à vijftigjarigen niet leuk is om overbekende anekdotes van zestig- à zeventigjarigen voor de zoveelste keer te moeten aanhoren, omdat het kennelijk met het klimmen der jaren steeds moeilijker wordt te onthouden wat al aan wie verteld is.

Een regelrechte nachtmerrie was altijd het jaarlijkse diner 'met dames', omdat alle dames met overduidelijke tegenzin en alleen omdat zij het — ondanks de emancipatie — als een plicht zagen, kwamen opdagen. Iedereen was na een jaar allang weer vergeten hoe de diverse voornamen ook al weer waren, wie gekust werd, wie alleen maar een hand kreeg, om nog maar te zwijgen over de vraag waarover de gesprekken de vorige keer in vredesnaam waren gegaan.

Toen de president-commissaris van onze verhuizing hoorde, moest en zou het jaarlijkse diner bij ons gehouden worden. Maria zag dat niet zitten, maar ik wist geen smoes te bedenken die niet als smoes over zou komen, zodat wij er toch aan moesten geloven. De catering werd besteld en omdat het om een landelijk bekende club ging, nam dit instituut onmiddellijk de macht over. Natuurlijk maakte Maria vooraf nauwkeurige afspraken om alles in ónze stijl te laten verlopen, maar daar trok het cateringinstituut zich op de dag zelf nooit iets van aan, wel wetend dat op de dag zelf toch geen enkele klant stampij maakt. Ondanks onze goede bedoelingen werd het het dus toch weer het standaard gecaterd feestje, dat iedereen al tientallen keren had meegemaakt. Maar goed, het wordt altijd vanzelf twaalf uur en ik moet zeggen, ze ruimen de boel werkelijk heel keurig op.

Een paar maanden later kreeg ik ruzie met mr. Humphries en een paar van zijn maatjes, die hij op zijn hand had gekregen en ging ik na een half jaar naar de raad van bestuur van een ander bedrijf. Zoals iedereen weet, leveren dit soort ruzies gewoonlijk een behoorlijk bedrag op, in ons geval ruim voldoende om de bres, die verbouwing en inrichting in onze financiën hadden geslagen, weer te dichten.

## Einde speelkwartier

Wij waren nu eindelijk op het punt aangeland waar het allemaal om begonnen was: de schepping van ons eigen paradijs, die tuin. Het speelkwartier was over, vluchten kon niet meer, het serieuze werk moest beginnen. Van terugkrabbelen kon natuurlijk helemaal geen sprake zijn en dat was ook zeker niet de bedoeling, maar wij begonnen hem toch wel een beetje te knijpen. Een en een kwart hectare volkomen vlak weiland, waarop de buren jarenlang zoveel mogelijk drijfmest hadden uitgereden, domweg omdat zij het kwijt moesten, mag dan lijken op een blanco blad, maar toch biedt ruitjespapier met een duidelijke kantlijn wel wat meer houvast.

Allereerst veroorzaakte de hoogst ongelukkige plaats waar het huis op het kavel stond een complicatie. De vorm van de kavel was een keurige rechthoek, met aan alle zijden een sloot. Het huis lag zogezegd links onderin, dicht tegen de kant waar zich het huis en de stallen van de buren bevonden. Bovendien stond het huis een beetje scheef, maar dan wel precies naar de verkeerde kant gericht. Eigenlijk lag het bakhuis op de plaats waar het hoofdhuis had moeten staan.

Het huis van de buren was van een aandoenlijke lelijkheid, die zelfs geen functie meer had als ondersteuning van het aanzicht van ons huis (dezelfde reden waarom een mooi meisje wel eens het gezelschap van een lelijke vriendin kiest). Wat wij ter maskering ook deden, de reactie was en bleef, ook na tien jaar, 'wat een mooi huis en wat een mooie tuin, wat jammer dat er zo'n gedrocht naast staat'.

De plaats van het huis was het gevolg van de ruilverkaveling, die in het algemeen veel Brabants landschappelijk schoon heeft vernietigd. Het zandpad, dat vroeger langs het huis had gelopen was verdwenen en vervangen door een asfaltweg even verderop; alle houtwallen die ooit kenmerkend waren voor het Brabants landschap waren gerooid. Dat alles was indertijd overigens met volledige instemming en actieve hulp van de betrokken boeren gebeurd, zodat het idee om in de toekomst het landschapsbeheer en de bescherming van het Nederlands landschappelijk erfgoed aan de agrarische medemens toe te vertrouwen, alleen aan het brein van een Haagse ambtenaar kan zijn ontsproten. Ook aan de andere kanten was niet alles een lust voor het oog, zodat het niet zonder meer duidelijk was waar de zichtlijnen naar de fraaiere stukken in het uitzicht nu wel precies zouden moeten lopen.

Een tweede reden om ons wat zorgen te maken over ons project was gelegen in het besef, dat wij een definitieve keuze zouden moeten maken over het soort tuin dat het zou moeten worden. Wij wilden in ieder geval wel de volledige oppervlakte benutten, dus niet een kleinere tuin en verder een paardenwei (ook al omdat wij niets met paarden hebben). Onze verzameling tuinboeken was inmiddels vrij omvangrijk, daaruit hadden wij wel ideeën opgedaan maar een pasklare oplossing was nog niet gevonden. Wel was het duidelijk dat het nooit wat zou worden als huis en tuin geen harmonieus geheel zouden vormen. Bovendien hadden wij te veel voorbeelden gezien van wat 'overdecorating' en 'overplanting' zou kunnen worden genoemd. Het fenomeen, dat ook zo vaak valt waar te nemen in tijdschriften over landelijk wonen, waarbij de fantasie van de heer of vrouw des huizes volkomen op hol geslagen is. In de tuin leidt dat dan tot te veel soorten, kleuren, materialen en voorwerpen zoals zinken teilen, gieters, oude landbouwwerktuigen, om van langzaam wegrottende pompoenen bij de voordeur maar niet te spreken. In huis—vooral als mevrouw speelt met de gedachte om uit verveling maar een bed & breakfast te beginnen—is er een orgie van wilde gordijnen, kussens, tafeltjes, beeldjes, vaasjes en andere op rommelmarkten gekochte troep. Natuurlijk is er niets op tegen als iemand zijn zwakheden op deze onschuldige wijze weet te kanaliseren, maar het blijft een serieuze weeffout in de schepping, dat zelfbeheersing de meeste mensen niet gegeven is. Wat is er mooier dan dat iemand zich weet te beperken tot enkele hoofdzaken, om daar dan iets extra's of verrassends mee te doen.

In het begin van de jaren zeventig waren wij nogal gecharmeerd geweest van wilde tuinen en dan niet zomaar een beetje wild, maar wild op de manier van ene Louis Le Roy. Deze sjamaan stond tuinieren voor op basis van onbegrijpelijke ideeën over het universum in het algemeen, de plaats daarin van de mens in het bijzonder, overvloedig gebruik van puin, veel handarbeid en als gereedschap uitsluitend de schop, de zaag en de snoeischaar. De foto's van zijn eigen tuin zagen er werkelijk prachtig uit en hij had ook ergens in zijn woonplaats Heerenveen van de gemeente op een reep grond zijn gang mogen gaan met puinpaden en stapelmuurtjes, waar dan vanzelf allerlei wilde planten zouden gaan groeien. Gelukkig hadden wij in die tijd maar een kleine tuin, maar wij hebben toch wel heel wat gestapeld en op de knieën paden aangelegd. Het was zeker mogelijk zo iets aparts te maken, maar bij ons werkte de natuur niet mee. In ieder geval geldt voor de Brabantse flora de survival of the fittest, in Brabant overleeft altijd een soort kweekgras, dat door iedereen panen wordt genoemd. De panen groeiden niet alleen tussen de door ons zorgvuldig gelegde stenen, maar ook daarop en daaronder, in de vorm van een niet uit te roeien netwerk van wortels.

Louis Le Roy, zo bleek, was dertig jaar later nog steeds aan het stapelen, nu met vooral stoeptegels, trottoirbanden en zinkputjes. Hij zelf was van mening dat zijn 'eco-kathedraal' nooit af zou komen. Hoe het ook zij, in ieder geval heeft hij Nederland verrijkt met een folly van internationale allure, die je de schaamte als Nederlander over zo iets smakeloos als bijvoorbeeld de Keukenhof of de tuin van Paleis Het Loo enigszins doet vergeten.

Ik had inmiddels gelukkig een boek gelezen, dat mijn ideeën over tuinen voorgoed had veranderd. In het midden van de jaren tachtig las ik in een Frans tijdschrift een recensie naar aanleiding van een herdruk van het boek *The education of a gardener* van Russell Page uit 1963. Ik vroeg aan een collega, die de week daarna toch naar London moest of hij bij Hatchard een exemplaar voor mij wilde kopen. De naam Russell Page zei mij op dat moment niets, hoewel hij in de geschiedenis van tuinontwerp en tuinarchitectuur een van de grote namen is en hoewel ik zijn tuin in The Frick Collection in New York, die ongeveer naast The Pierre lag waar ik altijd logeerde als ik in die tijd in New York wat te doen had, had gezien.

De eerste honderd bladzijden van het boek gaan over stijl bij tuinen, wat echte stijl is en welk ontwerp leidt tot echte stijl. Page besteedt dan ook vele bladzijden aan 'real style' en 'the eclectic use of a style borrowed from another period or another place'. Het is heel goed mogelijk een nieuwe tuin te maken met een echte eigen stijl door een intelligente en verfrissende toepassing van de elementen, die er toch al zijn, zoals het huis, het terrein, de steen, licht en schaduw, water en andere zaken. Uitgangspunt is en blijft altijd het huis; de stijl van de tuin moet kloppen met die van het huis, de tuin mag nooit ingewikkelder of meer versierd zijn dan het huis en ook niet detoneren met de omgeving. Nieuwe materialen dateren een tuin omdat zij altijd het gevolg zijn van een mode, die na twintig jaar de tuin hopeloos verouderd zal doen lijken. Dit zal elke Nederlander moeten aanspreken: bielzen uit de tuin horen bij het grof vuil, tenzij men in een oud stationnetje woont. Natuurlijk was hier een echte minimalist aan het woord: het maken van een tuin is eerst een kwestie van selectie en vervolgens van klemtonen.

De tuin moest er een zijn van krachtige lijnen 'good bones'. De omgeving moest de logische achtergrond zijn, een blik in de verte moet een verrassing opleveren en nooit een schok: ook iets wat ons zeer aansprak. Dat Page de klemtonen niet vergat, bleek ook uit beschrijvingen van zijn tuinen in andere boeken. De door hem gekozen beplanting paste qua kleur en plantkeuze perfect bij deze ideeën, maar hij sprong zeker niet krenterig om met aantal of volume, zodat bloeiende struiken nogal eens over muurtjes en paden heen bloesden. Dat leverde vrijwel altijd een aantrekkelijk schouwspel op, zoiets als een vrouw met een mooie boezem in een net iets te strakke brassière.

Ons huis was overduidelijk van oorsprong een boerderij en de omgeving was onmiskenbaar agrarisch. Gegeven deze zekerheid en gesterkt door ons nieuwe inzicht gingen wij op zoek naar een bijpassende tuinarchitect. Vrienden uit 's-Hertogenbosch legden ons uit, dat wij niet zozeer een tuinarchitect als wel een landschapsarchitect moesten hebben. Toen het verschil ons uitgelegd werd, was het duidelijk dat dit advies geen compliment was, maar dat het om een goede raad ging. Zij wisten er wel één, namelijk degene die de tuin van de ambtswoning van de Commissaris der Koningin verbouwd had toen die ambtswoning het Noord-Brabants Museum werd. Zwakke tegenwerpingen, dat dit toch een tuin was, dus geen landschap en dat mensen die zo'n klus voor de overheid deden gewend waren aan hoge rekeningen, omdat de belastingbetaler nu eenmaal toch betaalde, werden als burgerlijk gepingel terzijde geschoven.

Het lukte om deze B. voor ons probleem te interesseren. Enige tijd later verscheen op onze oprit een stokoude Mercedes in een rare kleur, zoals je die alleen in Rotterdam nog wel eens ziet, maar dan bestuurd door een allochtoon, die de Nederlandse taal nauwelijks en de Rotterdamse stratengids helemaal niet beheerst. Uit deze Talibantaxi stapte een bejaarde meneer met een gebronsde gelaatskleur en een wit puntbaardje. Gelukkig droeg hij geen djellaba, maar een effen donkerblauwe coltrui, een ruimvallende bruine manchester broek (met omslagen), en een paar donkerbruine desert boots. Daarbij was hij uitgerust met wat op het Brabantse platteland een flikkertasje heet, waarin zoals later bleek zijn kleurpotloden zaten.

Het kennismakingsgesprek vlotte aardig, ook al omdat B. de Keukenhof en de tuin van Paleis Het Loo ook verschrikkelijk vond. Hij bleek alleen nooit van Russell Page gehoord te hebben, zodat ik in het begin toch nog wel wat bedenkingen hield, maar Maria kon het goed met hem vinden en haar ideeën werden door hem keurig op papier gezet.

Wij legden uit dat het ons om een globaal plan ging en dat wij de beplanting helemaal zelf wilden doen. Verder legden wij uit dat wij als elementen die van een boerentuin zagen, maar dan wel zo, dat iets aparts zou kunnen ontstaan (wij hadden ons lesje dus goed geleerd). B. knikte instemmend en stelde voor eerst maar even buiten te gaan kijken. Toen wij midden in de wei stonden vroeg hij ineens om een spade. Die kreeg hij en vervolgens begon hij, ik schatte hem op ruim zeventig, in een tempo dat ik vroeger bij de manschappen nooit waargenomen had, een schutterspuntje te graven. Ik beperkte mij, net als vroeger, tot toekijken en toen B. een diepte van ruim een meter had bereikt, mompelde hij 'goeie grond', waarop wij gedrieën een kopje thee gingen drinken. Dat het om rijke grond ging, had ik hem ook wel kunnen vertellen,

bovendien kun je daar met grondmonsters, die later toch getrokken werden, ook achter komen. Het doel van het schutterspuntje bleef dus onduidelijk en wij hielden het er op dat
dit bij de act hoorde om een verpletterende indruk te maken
op nieuwe klanten. Tenslotte heeft elk beroep zijn eigen ri-
tuelen en wij hadden het wel bonter meegemaakt.

De samenwerking verliep verder boven verwachting; de
globale schets werd letterlijk en figuurlijk steeds verder in-
gekleurd. De rozentuin, het boomgaardje, beukenhagen,
houtwallen, alles kreeg zijn logische plaats. Bovendien kwam
B. met het voorstel de nieuwe oprit niet op de voordeur van
het hoofdhuis, maar op die van het bakhuis te richten, waardoor het probleem van die vreemde plaats van het hoofdhuis
toch aanzienlijk werd verminderd. Ook werden wat hoogteverschillen gepland, waardoor het gemakkelijker werd wat
diepte in het uitzicht aan te brengen.

Toen wij na een paar maanden afscheid namen, gaf hij ons
een boekje van Jean Giono, *L'homme qui plantait des arbres*,
in de vertaling van Ernst van Altena, uit 1988. Nu wij in de
Provence wonen, kunnen we niet anders dan concluderen,
dat B. of erg veel mensenkennis had of een nogal vooruit-
ziende blik.

Het plan van B. heeft altijd goed voldaan en het is door ons
eigenlijk integraal uitgevoerd. Alleen het eilandje in het ven,
waarvan B. trouwens nooit erg gecharmeerd was geweest, leverde grote praktische en esthetische problemen op.

Het eilandje, rond, met een straal van ongeveer vijf meter,
lag zo dat een extra coulisse aan het zicht over de tuin werd
toegevoegd. Dat was het probleem zeker niet, maar B. had
niet aangegeven hoe hoog het eilandje zou moeten worden,

zodat de grondwerkers het zo hoog mogelijk hadden gemaakt. Veel later, toen de grondwerkers allang vertrokken waren en wij met de beplanting wilden beginnen, bleek hoe belachelijk zo'n Mont Ventoux in een Kempische tuin stond. Er zat dus niets anders op, dan er met de hand weer een stuk af te halen. Ik probeerde nog wel onze zoon en de toenmalige vriend van onze dochter enthousiast te krijgen voor enige lichaamsbeweging in de open lucht, maar uiteindelijk was ik toch zelf degene die er anderhalve meter afhaalde. Het heeft me altijd dwars gezeten, dat ik niet zo flink ben geweest om nog een meter verder te gaan.

Een ander probleem was hoe er te komen; omdat ik die overtollige grond kwijt moest had ik maar meteen een dammetje aangelegd, onder het motto 'we zien later nog wel'. Dat leek natuurlijk nergens op en er was dringende behoefte aan iets spectaculairs. Nu kennen wij toevallig de beroemde architect Q. en omdat die de reputatie heeft vrienden in nood wel de helpende hand te willen bieden, vroeg ik hem of hij niet beledigd zou zijn, als ik hem zou vragen mijn probleem met een bruggetje op te lossen. Inderdaad, na een paar weken kwam hij terug met een paar schetsjes. Hij sprak mij echter streng toe en zei dat het niets was, omdat een brug 'ergens heen moet gaan' en dus zeker niet naar zo'n lullig eilandje. Dat vond ik eigenlijk ook wel en na enig gefilosofeer kwamen wij op de gedachte dat een pad van stapstenen dat van de kant door het water van het ven naar het eilandje zou lopen, misschien wel beter zou zijn. Na weer een paar weken kreeg ik een nieuw schetsje, nu van betonnen stapstenen in de vorm van een (opgevulde) krakeling van tachtig bij vijftig centimeter en met een hoogte variërend van dertig tot tachtig centimeter. Q. legde mij uit, dat ik een mal moest laten maken, die ingraven en vervolgens vullen met beton en piepschuim. Het zou wel even duren, maar hij dacht dat ik er wel uit zou komen. Toen ik het verhaal opgewekt aan Maria vertelde, keek ze me aan of ik niet goed snik geworden was en somde alle klussen op, die ik beloofd had te doen, maar waar ik nog niet aan toegekomen was.

Gelukkig kende ik iemand met een bedrijfje waar ze zeker zo'n mal zouden kunnen lassen. Dat bleek inderdaad zo te zijn en hij zei, dat hij hem van pisbakkenstaal zou laten maken, waarop ik even dacht dat ik voor de tweede keer in het ootje werd genomen. Het verhaal van Q. over dat ingraven veroorzaakte grote hilariteit en mijn vriend zei dat hij iemand kende die het gieten van die stapstenen wel even voor hem zou willen doen. Ik zou er wel van horen. Een half jaar later kreeg ik een telefoontje met de vraag welke kleur het beton zou moeten hebben en nog weer een half jaar later vroeg Maria wat die vijf pallets met betonblokken op de oprit te betekenen hadden. Ik zei: 'Nou, dat zijn die stapstenen van Q..' En ik vertelde er naar waarheid bij dat de maestro en ik ons hadden laten inspireren door het lint van stenen (uba-tuba) van André Volten bij de ingang van het Kröller-Müllermuseum. Gelukkig werd ze niet kwaad. Het spreekt vanzelf dat het plaatsen en ingraven van die stenen nog erg veel moeite en behoorlijk wat geld heeft gekost, maar uiteindelijk is het met behulp van vier man en een speciaal kraantje toch gelukt.

Later kwam het moment om het pad door de maestro te laten inwijden. Op een mooie zomerdag kwamen Q., zijn partner en enkele gemeenschappelijke Rotterdamse kennissen om de voltrekking te doen plaatsvinden. Na enkele glazen Bollinger Grande Année 1990 trokken wij naar de rand van het ven. Q. was zeer tevreden. Alleen toen de partner van Q. zich afvroeg of het toch niet beter was de stenen nog een paar centimeter te laten zakken, kreeg ik het even Spaans benauwd. Gelukkig had Maria net ontdekt, dat de twee zussen van de partner van Q. bij haar in het dispuut hadden gezeten, zodat het lukte de partner van Q. van haar idee, waarvan ik niet het risico wou lopen dat de maestro het over zou nemen, af te brengen.

Die vintage champagne, in plaats van gewone Bollinger en ook nog rosé, was ontegenzeggelijk behoorlijk fout, maar ik had die flessen nu eenmaal en ze moesten nodig opgedronken worden. Omdat zoiets vrij nauw luistert, zeker bij mensen uit Kralingen, vertelde ik onze gasten, dat ons soort mensen er natuurlijk niet aan moet denken om in een restaurant bijvoorbeeld een fles Château Lafite-Rothschild te bestellen, maar dat wij in de buurt een friture wisten waar dat juist heel goed kon. In het dorpje Veen, drie kwartier bij ons vandaan, was indertijd een door neonbuizen verlicht lokaal waar aan formica tafeltjes gerookte of gebakken paling gegeten kon worden en waarbij een fles Lafite voor 103,75 ouderwetse guldens gedronken kon worden of in het geval van een frivole bui gekozen kon worden voor een Meursault Les Charmes-Dessous voor 64,20, terwijl dit decadente genoegen nog werd vergroot, doordat de dorpsjeugd zich in het zelfde lokaal en op het zelfde moment aan een supertje-mét te goed deed. Helaas is de gulden verdwenen en dat frietkot ook.

Inmiddels hadden wij ook kennis gemaakt met de buurt, dat wil zeggen met de bewoners van een stuk of dertien boerderijen, die op een paar kilometer buiten het dorp op een kluitje bij elkaar stonden. Het geheel werd, zoals wel vaker voorkomt in Brabant, de Heikant genoemd en stond in het dorp bekend als het toppunt van achterlijkheid. Dat was in vergelijking met het dorp bepaald niet zo, maar de buurtbewoners waren op een enkele uitzondering na wel echte Kempenaren. Iedereen weet van de samenzwering tussen de rooms-katholieke kerk in Brabant en de Brabantse fabrikanten, die kernachtig samengevat kan worden door de uitspraak 'Houd jij ze dom, dan houd ik ze arm'. In ieder geval was dat in de Kempen aardig gelukt. De Kempenaar was wantrouwend, verborg zijn achterdocht achter een vriendelijk gezicht en pleegde lijdelijk verzet tegen zijn baas door in werktijd zo weinig mogelijk uit te voeren. Dat laatste kwam, zoals gezegd, bovendien buitengewoon goed uit, omdat na werktijd in het algemeen zeer fors geklust moest worden om de eindjes aan elkaar te kunnen knopen.

Van deze mentaliteit van respectloosheid over en weer waren natuurlijk vele voorbeelden. Zo bestond, toen sigaren nog handmatig gemaakt werden, het gebruik dat dagelijks door de voorlieden, aangesteld door de sigarenfabrikanten, en een commissie van sigarenmakers monsters getrokken werden uit de de volgende dag te verwerken tabak, waarmee de norm voor het stukloon werd bepaald. Nadat de sigarenmakers naar huis gegaan waren, werd die tabak dan weer in het magazijn door die voorlieden verwisseld voor iets minder goed te bewerken balen. Elke sigarenmaker wist dat, niemand durfde iets te zeggen, maar op de jaarlijkse kermis werden de voorlieden steevast in elkaar geslagen.

Ook de moederkerk liet zich in dit spel niet onbetuigd. Toen een van de twee aandeelhouders van de fabriek waar ik werkte, de zwijgzame, door Zijne Heiligheid de Paus vereerd werd met de orde van Sint Sylvester, ging ik er van uit dat het feit dat hij elk jaar een paar fazanten naar de bisschop liet brengen, niet de aanleiding tot toekenning van deze heugelijke knoopsgatversiering was geweest. Ik werd wat achterdochtig toen de geluksvogel niet meer kwijt wilde dan 'voor verdiensten voor mijn parochie'. Pas veel later kwam ik er via zijn familieleden achter wat die verdiensten dan wel waren geweest: toen na invoering van machines vele honderden sigarenmakers ontslagen moesten worden, had de zwijgzame aandeelhouder verordonneerd, dat wat hem betreft iedereen ontslagen mocht worden met uitzondering van leden van zijn eigen parochie, omdat hij tijdens de heilige mis niet geconfronteerd wilde worden met door hem tot de bedelstaf gebrachte gezinnen.

In onze buurt woonden natuurlijk geen sigarenmakers maar boeren, maar de Boerenleenbank, de veehandelaren, handelaren in veevoer en de melkfabriek hielden de zaak nog steeds stevig onder de knoet. Met de kerk ging het wat minder, de laatste autochtone pastoor ging met pensioen en werd vervangen door een Belgische priester van achtentwintig. Met Belgische zendelingen had de buurt niet veel op.

❦

De eerste zondag, dat wij daadwerkelijk in ons huis woonden, gingen Maria en ik op stap gewapend met een stelletje keurige visitekaartjes, zodat de inboorlingen onze namen niet zouden verhaspelen. Vrijwel niemand bleek thuis te zijn, behalve Leentje (Stan was boogschieten), die ons allerhartelijkst ontving. Tenslotte waren wij de nieuwe bewoners van haar oude boerderij. Leentje begon met uit te leggen, dat zij niet uit de Kempen kwam, maar uit West-Brabant, dat zij als dienstmeisje in de boerderij van de ouders van Stan, nu dus ons huis, terecht was gekomen en dat zij uiteindelijk met Stan getrouwd was. Onmiddellijk daarna kwam haar fotoverzameling te voorschijn, geen albums of plakboeken, maar een degelijke ouderwetse papieren kruidenierszak. Die zak werd op tafel geleegd en als Leentje haar verhaal met een foto wilde illustreren, rommelde zij wat in die berg foto's en soms vond ze wat zij zocht. In ieder geval was het duidelijk, dat wij zeker niet te weinig voor ons huis betaald hadden.

Het was verder duidelijk, dat Leentje niet al te veel op had met de andere boerinnen uit de buurt, die wel allemaal uit de Kempen kwamen. Later leerden wij Leentje kennen als degene die in feite de boerderij en haar gezin runde, wat haar trouwens heel goed afging. Het enige wat haar dwars zat was, dat het maar niet lukte hun enige zoon aan de vrouw te helpen, maar zij was reëel genoeg om in te zien, dat haar zoon meer het type was voor 'boer zoekt vriend', dan voor 'boer zoekt vrouw'. Leentje had een paar aparte gewoontes, onder meer om steeds een krachtige verrekijker op de keukentafel klaar te hebben staan om het contact met de buurt te kunnen onderhouden. Het verhaal deed de ronde, dat zij eens op een avond haar buurman, vijfhonderd meter verder op, opbelde om te vragen welk televisieprogramma zij op hadden staan, omdat het haar maar niet lukte hetzelfde op het scherm te krijgen. De buurman en zijn vrouw moesten toen bekennen dat zij naar een in de videotheek gehuurde pikante video zaten te kijken. Uiteraard moesten wij de stal inspecteren.

De enigen die op die zondagmiddag verder nog thuis waren, waren·Dries en zijn vrouw Nellie, die ook rundvee hielden. Dat juist deze twee boerengezinnen thuis waren, was, zo leerden wij later, niet zo vreemd. Melkkoeien hebben de eigenschap dat zij op vaste tijden gemolken moeten worden, zodat koeienboeren nogal thuizig plegen te zijn. Het bleek bij Dries om vijfenveertig koeien te gaan, die ook op stal stonden, met in hun midden in een omheinde verhoging waarin een stier op een strootje lag te kauwen. Het totale beeld had wel wat, je zag de koeien denken 'wat een knappe stier hebben wij toch' en de stier dacht overduidelijk 'die koeien zijn allemaal voor mij'. Wij complimenteerden Dries en zijn vrouw dan ook met deze uitzonderlijk aandacht voor het dierenwelzijn. Wij bleken daarin gelijk te hebben, maar associaties met harems waren niet aan de orde. Dries vond de stieren van het kunstmatige inseminatiestation namelijk te groot, zijn eigen stier was veel kleiner en door zijn koeien de eerste keer door zijn eigen stiertje te laten dekken werden veel vee-artsenrekeningen voorkomen. Ik heb het hier later wel eens met een bevriende gynaecoloog over gehad, maar die had niet voldoende fantasie om met dit uiterst praktische idee iets nuttigs in zijn praktijk te doen.

Later bleek dat rundvee het enige gespreksonderwerp van Dries was en dat hij een heel speciale, tamelijk lichame-lijke band met zijn koeien had. Op letterlijk elk buurtfeest vertelde hij altijd wel een keer aan de jonge boerinnen, dat hij nooit met koude handen aan de spenen van de koeien zat, omdat die daar zenuwachtig van werden; waarop die jonge boerinnen altijd begonnen te giechelen. Dries en zijn vrouw waren trouwens zeer geziene gasten op buurtfeesten, omdat Dries meestal zijn broer, een bruine pater uit het klooster van Herentals, meebracht. Die monnik werd steevast stomdron-ken, tot vermaak van iedereen, want waar kom je tegenwoor-dig nog zo iets middeleeuws als een laveloze monnik te-gen?

In de tussentijd was het ook gelukt een ploeg bij elkaar te krijgen die in staat was het toch wel gecompliceerde plan van B. uit te voeren. De leider, ene Sjak, die een eigen hoveniers-bedrijf had, vond het eigenlijk maar onzin en geldverspilling dat wij een tuinarchitect ingeschakeld hadden. Dat had hij immers ook wel gekund en voor minder geld. Toen hij echter van ons de naam van B. te horen kreeg, bleek hij van B. nog les gehad had op de hoveniersacademie, of hoe die onder-wijsinstelling in deze tijden van titelinflatie ook moge heten, waardoor hij geheel verzoend was met zijn uitvoerende rol.

Verder spraken wij met het loonwerkerbedrijf uit ons gehucht af, dat zij het grondwerk tegen gereduceerde tarieven zouden komen doen in de slappe tijd tussen het einde van het voorjaar en het begin van de oogst. Bij het graven van het ven zou erg veel grond vrijkomen. Een gedeelte daarvan kon gebruikt worden bij het aanbrengen van wat hoogteverschillen, maar er bleven vele kubieke meters over, waarvoor een koper werd gevonden. Er moest een bruggetje over de sloot worden gemaakt als onderdeel van de nieuwe oprit en het huis moest op het riool worden aangesloten. Het gemeentelijke riool lag ongeveer op dezelfde hoogte als de afvoer van het huis, zodat toestemming gevraagd moest worden aan de gemeente om ook de hemelwaterafvoer op het riool aan te sluiten, vanwege de doorstroming.

Ik vond een koper voor de kinderkopjes van de oude oprit die geheel zou vervallen, een hoveniersbedrijf een paar dorpen verderop. De opbrengst was zo hoog, dat de nieuwe oprit en de parkeerplaats van grind konden worden voorzien, op een bed van fijngemalen puin. B. had ons er op gewezen, dat de kleur van het grind erg belangrijk was; een verkeerde kleur grind zou vreselijk staan bij de witte bepleistering van de buitenkant van ons huis. B. was voorstander van een bepaald soort Maasgrind, waar een beetje leem doorheen zat. Helaas bleken de Limburgers dat voor zichzelf te houden. Sjak had uitgerekend hoeveel grind er nodig was, maar waarschijnlijk had hij ergens de komma verkeerd gezet. Er moest dus weer ontzettend veel grind terug naar de grindhandel en onze kennissen kwamen, na een baggerpartij door het grind altijd buiten adem bij de voordeur aan.

Op die voordeur heeft overigens nooit een bel gezeten—op het platteland heel normaal, iedereen loopt toch naar de achterdeur — maar echte stadsmensen reageerden daar merkwaardigerwijs altijd een beetje gepikeerd op. Anderzijds, Jehova's Getuigen, die een enkele keer het platteland aandoen konden bevredigend lekker blijven kloppen omdat wij ze allang gezien hadden, dus niet op dat geklop behoefden te reageren. Ik kan me eigenlijk maar één keer herinneren dat ik wel naar de voordeur ben gegaan, de keer toen er een politieauto op de oprit verscheen, nadat de vorige dag het alarm weer eens (loos) was afgegaan. Uit die auto kwam namelijk een beeldschone agente, gekleed in een passende broek, hetgeen in Nederland eigenlijk nooit voorkomt, een schone witte blouse en met een paar van die sexy handboeien aan haar koppel. De agente legde mij uit dat zij de vorige dag met haar collega na het alarm om het huis gelopen was en toen ons guest house gezien had; zij bleek op zoek te zijn naar woonruimte en vroeg zich af of ons bakhuis wellicht te huur was. Voordat ik iets onverstandigs kon zeggen, zei Maria, die inmiddels toch ook wel nieuwsgierig geworden was en ook was komen kijken, dat dit niet het geval was.

Omdat ongeveer een derde van het oppervlak uit gras zou bestaan, ontstond er een uitgebreide discussie over het soort graszaad, dat in grote hoeveelheden aangekocht zou moeten worden. Uiteindelijk besloten wij gewoon sportveldenmengsel te nemen; in de praktijk bleek onkruid en vooral het kweekgras, dat natuurlijk overal de kop op stak het uiteindelijk tegen dit gras af te leggen, zodat in een paar jaar, zonder bestrijdingsmiddelen toch een goede grasmat ontstond. Wij besloten ook maar meteen in te zaaien, hoewel het juli was. Er was namelijk een grondwaterpomp aanwezig met een onwaarschijnlijke hoeveelheid slangen, waarvan onze voorganger het ook te veel moeite had gevonden ze mee te nemen. Piketpaaltjes werden geslagen, iedereen ging aan de slag en zonder problemen kwam alles op tijd in orde.

Ook de rest van de buurt leerden wij al snel kennen. Wij kregen na een paar weken het bestuur van de buurtvereniging op bezoek: twee boeren en een hoogzwangere boerin, met een voor ons bestemde ficus. De Heikant kende, zoals op het Brabantse platteland gebruikelijk is, een buurtvereniging, die ter versteviging van de saamhorigheid af en toe wat leuks organiseerde. In het gehucht bestonden een stuk of vijf van dat soort gezelschappen, die gezamenlijk één keer per jaar een jaarmarkt voor de toeristen organiseerden en voor de leden een bonte avond. Op de bonte avond moest elke buurtvereniging een zelf in elkaar gedraaid toneelstukje opvoeren, hetgeen er meestal op neerkwam dat twee als vrouw verklede dorpelingen een platvloers samenspraakje ten beste gaven. De jaarmarkt, waar entree geheven werd, was een combinatie van een vide-grenier, waar vooral onverkochte troep van vorige jaren opnieuw ten verkoop werd aangeboden, de bekende ongein zoals het raden van het gewicht van een varken en demonstraties van oude ambachten waarbij lieden, die allang een kantoorbaan hadden, zich hadden verkleed en hun kunstgebit hadden uitgedaan, net deden of zij echt in staat waren een stoel van een nieuwe pitrietzitting te voorzien. Natuurlijk waren er ook wat professionele handelaren, die op elke jaarmarkt te zien waren en T-shirts, zonnebrillen, riemen probeerden te slijten.

De jaarmarkt werd altijd gewoon op de provinciale weg, die door het gehucht liep, gehouden en die, omdat entree geheven moest worden, volledig was afgezet, niet door de politie, maar door het organisatiecomité, waardoor op alle weggetje en zandpaden in de wijde omtrek altijd een enorme verkeerschaos ontstond, vooral als ergens een melkwagen de bocht niet kon halen. Meestal bleven wij die dag dan ook thuis, want ook fietsen was door al die gestrande automobilisten, die over hun theewater waren geraakt, niet van gevaar ontbloot.

Dat de politie zich hier niet mee bemoeide kwam door het simpele feit dat de politie in Nederland allang van het platteland is verdwenen. De politiebureaus in de dorpen zijn al jaren geleden gesloten, alleen in enkele grotere dorpen wordt af en toe 'spreekuur' gehouden en 's nachts is het ieder voor zich en God voor ons allen. Als er wat is, kan natuurlijk het landelijke alarmnummer gebeld worden. Ergens in de regio zwerft een auto met twee agenten rond, die komen als er alarm is en reageren op een alarmcentrale. Overigens deelt die alarmcentrale bij tweemaal vals alarm een gele kaart uit en na driemaal een rode, waarna de politie niet meer gewaarschuwd wordt, zodat het zaak is de alarminstallatie zo af te stellen, dat die alleen reageert bij een ramkraak. In het Franse stadje waar wij nu wonen en dat even groot is als de gemeente waar de Heikant onder valt is er gendarmerie, gemeentepolitie en veldwachterij, totaal een man of dertig, die in tegenstelling tot de gemiddelde Nederlandse agent, door iedereen met alle respect worden bejegend. Als er al eens ingebroken wordt, haalt dat altijd La Provence, de krant, die er altijd bijvertelt wat de politie er aan gaat doen. Met enige regelmaat wordt vervolgens iemand, meestal zoals dat heet een 'arabe', ingerekend, welke heldendaad vervolgens weer op bladzijde één of twee breed wordt uitgemeten, omdat het Parijse nieuws op bladzijde dertien staat en het wereldnieuws op bladzijde veertien. Ook de verzekering in Frankrijk vindt dat wij geen alarminstallatie nodig hebben.

Van de opbrengst van de jaarmarkt werd eenmaal per jaar een gratis barbecue voor het hele gehucht gehouden, waar in een uitgelaten sfeer enorme hoeveelheden varkenskarbonades, verse worst en kippenboutjes werden verslonden.

Ook beheren de buurtverenigingen 'de grot', een kapelletje — het gehucht heeft geen eigen kerk. Die is in het dorp een paar kilometer verder op. De grot is ooit opgericht ter nagedachtenis van het enige slachtoffer van de Tweede Wereldoorlog waarop het gehucht zich kan beroemen: een simpele boerenjongen die in de meidagen van 1940 onvoorzichtig was bij het oversteken en onder een militaire vrachtwagen liep. Dat het ging om een oorlogsslachtoffer en niet een ordinair verkeersongeluk betrof, was duidelijk: het was een Duitse vrachtwagen. Het comité had indertijd helaas niet gekozen voor een wat meer traditioneel ontwerp, maar zich laten inspireren door de grot van de heilige Bernadette in Lourdes. Het gewijde gedrocht bestond dan ook uit een soort puist van kasseien en cement, met in het midden een nis met een beeldje van de Heilige Maagd. Er kunnen tegen betaling kaarsen gebrand worden, die in een vak onder de nis liggen. In de twee café's van het dorp waren ansichtkaarten van de grot verkrijgbaar en bij onze buren hing in de keuken zelfs een Delfts blauw bordje, dat helaas niet meer te koop was, maar dat wij natuurlijk ook graag hadden willen hebben. De grot en het tuintje er voor moesten af en toe schoongemaakt worden en de boerinnen kweten zich met een devoot gezicht van die taak. Wij hadden als ongelovigen natuurlijk dispensatie kunnen krijgen, maar Maria houdt van aparte bezigheden en liet zich dit buitenkansje nooit ontgaan.

☙

Toen er een uitnodiging voor het jaarlijkse feest van onze eigen buurtvereniging in de bus zat, waren wij nogal benieuwd en, om niet voor rare verrassingen komen te staan, werd bij de buren gevraagd hoe het zo ongeveer zou toegaan. Om zes uur had iedereen normaal thuis al 'warm' gegeten, zodat om acht uur zou worden begonnen met een Brabantse koffietafel. Bij een Brabantse koffietafel wordt koffie of frisdrank gedronken en daarna frisdrank of bier, tot iedereen weer naar huis gaat. Later, toen iedereen een beetje aan ons gewend was, nam Maria altijd haar eigen fles wijn mee, ook als de festiviteiten in de plaatselijke kroeg, genaamd De Schuur, plaatsvonden en waar de waardin zo vriendelijk was om Maria uit haar eigen fles bij te schenken. Omdat het heel erg mooi weer was, zou het feest deze keer niet in De Schuur plaatsvinden, maar op het erf van een van de boerderijen. Dat erf lag tussen de varkensstallen, maar de ventilatoren van die stallen zouden tijdig worden afgezet. De varkens zouden dat waarschijnlijk wel overleven.

Toen wij iedereen te voet naar het feest zagen gaan, gingen wij ook maar. Op het erf stond een hele lange schragentafel met boerenbonte kleden en bijpassende banken. Op de tafels stond alles wat een Brabantse koffietafel een Brabantse koffietafel maakt. Ik was juist uit Rotterdam gekomen, had nog niet gegeten en had dus reuze honger. De aanblik van al die ongezonde en cholesterolrijke heerlijkheden was onweerstaanbaar: witbrood, kroketten, zult, fabriekskaas, vette worst, spare ribs, knakworst, ragout uit blik en andere spijzen, die in een verantwoord dieet niet thuis horen. Ik wist meteen dat ik mij die avond vooral aan de kroketten en de zult zou vergrijpen en veel bier zou drinken, wat ik anders ook nooit doe.

Onder normale omstandigheden dragen boeren en boerinnen, als ze al geen overall of stofjas aanhebben, spijkerbroeken, truien die vroeger weermannentruien heetten, houthakkersoverhemden, gympen, kaplaarzen en andere modeartikelen, die je in de winkel van de Boerenbond kunt kopen. De totale kosten van die uitmonstering overstijgen nooit de prijs van een goed overhemd laat staan van een paar behoorlijke schoenen. Die avond zag iedereen er echter pico bello uit: bij de jonge boeren en boerinnen veel witte broeken, truitjes en overhemden met korte mouw. Iedereen had de gympen thuis gelaten, de boerinnen droegen sandalen en de mannen loafers. De oudere boerinnen droegen bloemetjesjurken en drie oude boeren konden zo weggelopen zijn van de bekende foto van August Sander, die op de kaft staat van Richard Powers' *Three farmers on their way to a dance*, dat toen juist verschenen was, zwart pak, wit overhemd en das. Iedereen had overduidelijk pas in bad gezeten, ik meende zelf de geur van Sunlight-zeep uit mijn jeugd weer te ruiken.

Wij hadden natuurlijk de boeken van John Berger, zoals *Pig Earth* gelezen. Het klopte dat wij veel verhalen te horen kregen die verteld werden alsof zij gisteren gebeurd waren, terwijl de gebeurtenis zich net na de oorlog had afgespeeld. Het klopte ook dat de spanningen in de buurt, die er natuurlijk wel waren, zorgvuldig onder de pet gehouden werden, omdat iedereen zich realiseerde, dat verhuizen vanwege een burenruzie er voor boeren niet inzat. Het grote verschil echter met feestjes in de stad of personeelsfeestjes werd veroorzaakt doordat iedereen hier eigen baas was. Natuurlijk waren er zorgen over de oogst en de prijzen van vee en veevoer, maar van afhankelijkheid van chefs of bazen was geen sprake. Er werd dan ook niet geslijmd en iedereen was behoorlijk zichzelf. Het is voor boeren niet moeilijk in te schatten hoe bij de buurman de vlag erbij staat, zodat ook niemand zich groter hoefde voor te doen dan hij was. In die tijd had het beleid van Brussel nog een positieve invloed op de individuele boer en van Den Haag trok men zich al helemaal niets aan. De stemming was dan ook positief en hoopvol. De oudere boeren waren ervan overtuigd, dat, als de tijd gekomen zou zijn, een kind wel in staat zou zijn de boerderij over te nemen en zij naar een rijtjeshuis in het dorp zouden kunnen verhuizen.

Wij vermaakten ons die avond buitengewoon goed en waanden ons in een Franse of Italiaanse film over de geneugten van het landleven. Toen wij die avond laat naar ons huis, vijfhonderd meter verderop, liepen, hadden wij het gevoel, dat wij toch wel aanmerkelijk dichter bij ons doel gekomen waren.

✺

Dat geluksgevoel was helaas van korte duur. Op een zaterdagmiddag, een paar weken later, vroeg Maria waar iedereen was. Het was mij nog niet opgevallen dat er buiten niemand te zien was. Dat was zeer ongewoon, er was altijd wel iemand die met de trekker op weg was naar iemand anders om even een praatje te maken. Een uur later had nog niemand zich vertoond en werd ik nieuwsgierig. Ik besloot eens bij de buren binnen te lopen. Ik trof Piet en Anneke in de keuken aan. Anneke zat te snikken en Piet keek of hij dat ook het liefste zou willen doen. Het leek mij hét moment om te vragen of er iets ergs gebeurd was. Piet zei, meer op verbaasde dan op verwijtende toon:
'Heb je het dan nog niet gehoord? Hij is dood.'
Ik dacht meteen dat zij het over hun zoon Niek hadden, die tien jaar daarvoor een bromfietsongeluk had gehad, een half jaar in coma had gelegen en hoewel die comateuze toestand zijn intellectuele vermogens bepaald niet had vergroot, nu met een gigantische truck met oplegger, geladen met boomstammen 's Heren wegen onveilig maakte. Ik zei:
'Wat vreselijk voor jullie, waar is het gebeurd?'
Ze keken mij verbaasd aan en Piet zei:
'Nou, in zijn nieuwe gierkelder.'
Dan was het dus niet Niek. Punt één had die geen eigen gierkelder, laat staan een nieuwe en bovendien was het postuur van Niek dusdanig, dat hij onmogelijk door de opening

van een gierput zou kunnen. Het werd dus wat minder onge-
makkelijk om door te vragen en het bleek om Johan te gaan.
Johan was een van de jonge boeren, die samen met zijn vader,
die recht tegenover ons woonde, een maatschap had met
twee boerderijen, veel grond en heel veel melkquota. Johan en
Jan hadden net veel geïnvesteerd, onder meer in een nieuwe
gierput. Toen Johan die nieuwe put aan een oom wilde laten
zien en het deksel eraf haalde, werd hij door de dampen, die
uit de put stroomden, bedwelmd en was hij erin gevallen.
Zijn oom, die hem eruit wilde halen, trof hetzelfde lot. Johan
had zijn hele leven op de Heikant gewoond, net als zijn speelkameraadjes, de zonen van Piet en Anneke, zodat hun ont-
steltenis, maar al te begrijpelijk was. Natuurlijk komen mensen soms op gruwelijke wijze aan hun einde, iedereen sterft
vroeg of laat, maar verdrinken op een hele warme dag in augustus in eigen koeienstront is toch wel erg extreem. Johan
was ook op het buurtfeest geweest: een slanke, in het wit geklede jongeman, met rossig blond haar, die de kant van de
tafel waar Maria zat vermaakt had met vrolijke verhalen. Wij
konden dat beeld niet losmaken van wat wij ons voorstelden
dat de brandweer uiteindelijk uit de put had gevist.

Bij de begrafenis puilde de kerk in het dorp uit. Vrienden
van de Heikant luidden de kerkklok, het kerkkoor zong en
de pastoor, die Johan nog gedoopt had, overtrof zichzelf.

Later werd nooit meer over Johan gesproken, alsof het ophalen van herinneringen het noodlot weer terug zou roepen.
De vrouw van Johan, nog geen dertig jaar oud, verkocht haar
deel van de maatschap, vond na een tijdje natuurlijk een
nieuwe man, kreeg kinderen en ging in het dorp wonen. De
vader van Johan kwam de slag nooit te boven.

Voor ons gevoel begon op die noodlottige dag in augustus
de teloorgang van de Heikant, hoe iedereen ook zijn best
deed de oude positieve sfeer weer te hervinden.

# De panenoorlog

Op een mistige herfstmorgen kregen wij de schrik van ons leven. Een grote open vrachtwagen, tot de rand gevuld met bussels plantgoed, afgedekt met een net, verscheen op de oprit. Natuurlijk hadden wij zelf die paar duizend boompjes en struikjes besteld bij een boomkweker in Haaren, maar dat het om zo'n enorme berg zou gaan hadden wij ons niet gerealiseerd.

In de weken daarvoor was een van de buren zo vriendelijk geweest alle stukken, die bos moesten worden, nog eens zorgvuldig om te ploegen. In een stuk dat tegen de parkeerplaats aan lag had ik een groot aantal sleuven gegraven om het plantgoed in te kuilen tot elk boompje en elk struikje aan de beurt was om op de juiste plaats geplant te worden. De palen om de bomen aan vast te zetten vormden trouwens ook een behoorlijke stapel. In ieder geval werd het duidelijk, dat het aantal sleuven verdubbeld moest worden en dat ik meteen flink aan de slag zou moeten, omdat voor de komende nachten vorst voorspeld was. Een uur later stond ik dan ook weer te spitten, nadat ik mijn secretaresse opdracht had gegeven voor de rest van de week al mij afspraken af te zeggen wegens dringende privé-omstandigheden.

Het lukte gelukkig om in een lange dag alles in te kuilen en Maria was daar zo tevreden over, dat zij besloot die avond in Kermt bij Hasselt te gaan eten bij een van de op dat moment beste chefs van België, die onder meer een goddelijke Brussels lof met foi d'oie op de kaart had staan, die bijna zo lekker was als in mijn herinnering de Brussels lof met hamsnippers, die ze in mijn tijd soms in de officiersmess in Den Haag, toen die nog op de bovenste verdieping van De Witte was, op het menu hadden staan.

Het plan was de beukenhagen, de rozentuin en het boomgaardje meteen de definitieve beplanting te geven, maar de stroken bos eerst alleen van een snel groeiende basisbeplanting te voorzien, om later, als wij het effect beter konden beoordelen, een aantal meer aparte bomen en dan wat grotere exemplaren bij te planten. Die benadering had overigens ook te maken met de mogelijkheden de aanplant te besproeien. Het terrein was te groot om alle aanplant in droge tijden van voldoende water te kunnen voorzien. Wij hadden wel een grondwaterpomp, heel veel slangen en het grondwaterpeil was, omdat ons huis niet ver van de beek de Reusel lag, toereikend om ook als alle boeren aan het beregenen waren voldoende water te hebben. Maar er moest toch behoorlijk met slangen gesjouwd worden. Dat was een rotwerk en bovendien een probleem als wij er in droge tijden toch een tijdje niet waren. We besloten dan ook voor bomen en struiken, die maar een gulden of zo kostten het risico te lopen en maar af te wachten. Uiteindelijk werden dan ook alleen de wat grotere investeringen met ruim water vertroeteld.

Het duurde wel even voordat ik het bevloeien onder de knie had; bij de boerenbond en bij Sjak werd ik nauwelijks wijzer. Bovendien was een probleem, dat de waterdruk en de hoeveelheid grondwater die per uur opgepompt kon worden nogal varieerde, zodat nauwkeurig afstellen van de spuitjes gecompliceerd was. In de Provence, waar wij nu wonen, is het gelukkig geheel anders. Er is een overvloed aan druppelaarsystemen (goutte-à-goutte) en schakelklokken, waarvan de werking je door iedere hovenier uitgelegd kan worden. Bovendien is er bij ons latere Franse huis in de tuin een bron, waarop een afsluiter, die zonder pomp water met een dusdanige druk levert, dat het zwembad ermee gevuld kan worden, terwijl er voldoende water blijkt te zijn om ook nog een sophisticated irrigatiesysteem te kunnen aanleggen. De nieuw geplante olijfbomen en oleanders zijn ons dankbaar; iedereen die ons bezoekt en ook in de Provence woont is toch wel een beetje jaloers, al was het alleen al omdat in Frankrijk, net zoals in Nederland, de waterprijs door de tollenaars misbruikt wordt voor verkapte belastingheffing.

Voor de basisbeplanting van de stroken bos hadden wij ons beperkt tot veel krentenboompjes (Amelanchier canadensis), veel veldesdoorns (Acer campestre) en veel meidoorn (Crataegus laevigata), meestal de witte enkele, maar wij hadden ons ook laten verleiden tot enkele van de variëteit Paul's Scarlet, dubbel en naar bleek op onze grond van een gemeen soort rood, zodat deze bij de eerste uitdunbeurt weer verdwenen. Verder wat lijsterbes, de gewone (Sorbus alnifolia) maar ook wat apartere soorten zoals Sorbus hupehensis. Een paar jaar later heerste er in de Kempen een boomziekte, waardoor uiteindelijk maar drie het overleefden, die ook daarna een kommervol bestaan leden. Een groter succes waren de vlieren (Sambucus nigra), de gewone en de aurea. Ook de bergvlieren (Sambucus racemosa) deden het goed, deze waren wat kleiner en beter in model te houden. In de lente hebben zij bovendien trossen van aardige, groengele bloemetjes. Verder werden er wat gewone eiken en beuken geplant, plus wat robinia, die zoals iedereen weet verschrikkelijk snel groeien, maar die nogal zacht hout hebben, zodat het soms moeilijk is een goede vorm te bewaren, omdat er nog wel eens een belangrijke tak bij storm afbreekt. Aan het eind van de jaren negentig was er in de Kempen een epidemie van de eikenprocessierups, maar gelukkig hebben die schepseltjes onze eiken nooit kunnen vinden.

Om ook 's winters hier en daar wat groen te hebben, plantten wij een stuk of tien hulstbomen (Ilex aquifolia J.C. van

Tol) en beperkten ons verder tot een paar gewone kerstbomen. Hier en daar kwam nog een plukje larix (Larix decidura), die hun naalden in de winter verliezen, maar dat in het voorjaar weer helemaal goed maken.

Op de lijsterbessen na, deed alles het behoorlijk goed en hadden wij weinig uitval, zodat al na een paar jaar hier en daar ruimte gemaakt kon worden om het bos te 'upgraden'.

Op het eilandje in het ven werden wat krentenboompjes geplant, en een robinia. Bij een goede kennis, die in de buurt van 's-Gravenland een soort kasteel had gekocht met verschrikkelijk veel grond, had ik een eeuw oude moerascipres (Taxodium disticum) gezien. Moerascipressen vormen op vochtige standplaatsen ademwortels, die dus boven de grond uitsteken. Bij die oude boom stonden er tientallen in groepen, dicht bij elkaar, bovendien waren zij behoorlijk hoog zodat het geheel onmiddellijk associaties gaf met het bekende terracotta leger uit het graf van keizer Qin Shihuang. Wij plantten er één op het eilandje en twee op de wal aan de overkant van het water. Toen wij ons huis weer verkochten, waren de eerste vijf ademwortels al boven de grond gekomen.

Op de kant werd ook een treurwilg geplant, in de verwachting dat daarmee een markant punt in het uitzicht vanuit het huis zou ontstaan. Treurwilgen kunnen zoals bekend buitengewoon groot worden, maar die van ons werd nooit wat. Wij hielden het op aardstralen; aan de grond kon het niet liggen, omdat juist op die plek veel beekklei door de grond vermengd was, wat juist heel goed zou moeten zijn.

Bij het terras achter het huis was dringend behoefte aan natuurlijke schaduw, zodat wij daar een al wat grotere vleugelnoot (Pterocarya fraxinifolia) plaatsten, waarin in het najaar van die leuke vruchtjes als lange snijbonen komen te hangen en die ontzettend snel kunnen groeien. De vleugelnoot liep altijd vroeg in het jaar uit en die eerste blaadjes bevroren vervolgens weer bij late nachtvorst. Dat gaf gelukkig niets, want de boom ging altijd gewoon weer opnieuw aan de slag. Omdat ik de boompalen te snel had weggehaald, groeide hij behoorlijk scheef. Dat stond wel leuk, maar ik neem aan dat T., die ons huis later kocht, inmiddels al wel met de kettingzaag, zijn favoriete tuingereedschap, aan de gang is geweest, ter bescherming van het rieten dak.

Een apart verhaal waren de beukenhagen, in totaal drie-honderd meter, waarvan meer dan de helft, voor het huis, dubbel. Wij hadden ons laten vertellen, dat haagbeuken beter aanslaan als de grond eerst wat verbeterd is met wat afge-vallen beukenblad. In een nabijgelegen beukenbos vulden wij dan ook vele vuilnisbakzakken met gevallen blad. Of het hier ging om een bakerpraatje of niet, kan ik niet beoordelen, maar wij hadden in het begin toch behoorlijk wat uitval, zodat de eerste jaren jaarlijks toch altijd wel een tiental beuk-jes bijgeplant moest worden.

De voortuin was bestemd om er links en rechts van de oprit een formele rozentuin te maken, zoals je die wel vaker ziet bij boerderijen. Er kwamen in het gras vier rechthoekige en vier ronde borders, die werden omsloten door dubbele beukenhagen, met op elke hoek een kegelvormige taxus. Dit geheel kwam uit de koker van B. de tuinarchitect. De klas-sieke vorm bleef behouden, maar het geheel was alles behalve kneuterig. Bovendien was het een oplossing van het pro-bleem, dat werd gevormd doordat het huis, dat een hele hoge rietkap had bij lage stenen muren daaronder, geen hoge be-groeiing vlakbij verdroeg.

Tussen de rozentuin en de weg, die wat hoger lag dan het huis, lag nog een strook gras van ongeveer vijf meter en daar plantten wij een paar platanen en wat rode beuken. Langs de weg stonden uitsluitend berken, zodat onze aanplant het uit-zicht behoorlijk verbeterde. Onze buren zagen overigens liever wat er op de weg gebeurde, zodat wij later de bomen tamelijk hoog hebben opgesnoeid.

Als roos voor de rechthoeken namen wij Schneewitchen en voor de cirkels Anneke Dorenbosch, roze, in Engelse rozenterminologie pink, niet blush. De randen van de perken werden gemarkeerd met Nepeta dirphya x faassenii (Six Hills Giant), die overvloedig en langdurig paarsblauw bloeiden en het in Nederland beter doen en ook beter staan dan lavendel. De rozen en de nepeta bloeiden de hele zomer en het effect was precies zoals wij ons dat hadden voorgesteld.

Rozen vragen altijd veel onderhoud, maar ook de nepeta levert nogal wat werk op. Jaarlijks moeten zij afgeknipt worden, wat niet goed gaat met een bosmaaier en het best met de hand kan gebeuren. Om de paar jaar moeten zij bovendien gesplitst worden, omdat het binnenste van de plant gaat verhouten en de kern moet worden verwijderd om mooie rechtopgaande struikjes te houden. Dit is zwaar werk, waar de opeenvolgende tuinmannen niet veel mee op hadden. Maar liever koekjes worden nu eenmaal niet gebakken. Door dat veelvuldig splitsen konden wij, als wij dat gewild hadden, een nepeta-winkeltje beginnen. Rozen hadden echter maar een zeer beperkte levensduur, ondanks zorgvuldig mesten en snoeien moesten regelmatig planten vervangen worden. Wij hebben daar eigenlijk geen verklaring voor, anders dan dat er misschien een onbalans bestaat tussen de roos en de wilde roos, waarop geënt is.

In het boomgaardje plantten wij een stuk of tien halfstam bomen, van de bekende, maar oninteressante soorten, die de jaren daarna, toen dat steeds meer in de mode kwam, bijna allemaal werden vervangen door oude Nederlandse appelrassen.

Onze plannen om samen een grote tuin te maken waren niet veranderd, toen ik in Rotterdam was gaan werken, maar moesten natuurlijk wel enigszins bijgesteld worden.

Inmiddels reed ik dagelijks naar Rotterdam op en neer, twee uur heen en twee uur terug, over een afstand van nog geen honderd kilometer. Het is merkwaardig dat files in Nederland zo ondergewaardeerd worden. Allereerst is autorijden door die files een buitengewoon veilige manier van verplaatsen geworden. Niemand kan gemiddeld harder dan vijftig kilometer per uur. Er valt wel eens een vrachtwagen om, maar dat leidt meestal niet tot letsel bij de medeweggebruikers. Ik heb in die jaren ook nooit iets vervelends meegemaakt, anders dan wat blikschade toen in een mistbank iemand, die reuze haast had, te vroeg weer gas gaf. De toename van de verkeersveiligheid, waarover de regering zich op de borst slaat, is ook hoofdzakelijk het gevolg van die files. Als iedereen de ruimte had en gewoon honderdtwintig zou rijden, zouden er veel meer slachtoffers vallen.

Hét grote voordeel van files is echter de weldadige rust, die ze opleveren, omdat het lage tempo uiterst ontspannen autorijden mogelijk maakt, als de auto tenminste met een automaat is uitgerust. Natuurlijk blijft de autoradio uit, mijn mobieltje heeft een geheim nummer en mijn secretaresse had de instructie 'don't call me, I call you'. De airconditioning zorgt onder alle omstandigheden voor een aangenaam klimaat en de automaat maakt het goed mogelijk onderwijl een sandwich te eten of een pijp te roken. In deze prettige eigen omgeving, waar gedachten niet door gewauwel van storende medewerkers onderbroken worden is het goed toeven. Nog belangrijker was natuurlijk, dat die heen- en terugreis elke dag voldoende tijd opleverden om alle gebeurtenissen van de dag rustig hun plaats te geven, zodat ik altijd in een irenische stemming thuis kwam. Ook was het niet nodig om 's avonds al over de volgende dag te gaan piekeren, omdat daar de volgende morgen richting Rotterdam meer dan voldoende tijd voor zou zijn. Toen wij er later een appartement in Rotterdam bij namen, heb ik die dagelijkse stille tijd erg gemist.

Dat nam natuurlijk niet weg dat vier uur een hoop reistijd is. Vooral in het voorjaar was dat een probleem, omdat tenminste tweemaal per week gras gemaaid moest worden en een maaibeurt kostte vier à vijf uur ook met zo'n gemotoriseerde maaimachine, zodat ik als het even kon één keer per week vóór de file naar huis ging.

Iedereen had een grote hekel aan dat gemaai, omdat grasmaaimachines heel veel lawaai maken, terwijl ik vijf uur met oorbeschermers op ook geen pretje vond. Later kochten wij een nog veel grotere machine met een viertakt motor, die zo stil was, dat oorbeschermers niet meer nodig waren. Het bleef echter veel tijd kosten en het maaien was dan ook het eerste wat uitbesteed werd.

In die tijd, maar ook later, kwam ik in de eerste helft van het jaar nooit aan golfspelen toe, zodat ik mij dan in de tweede helft van het jaar in allerlei bochten moest wringen om de verplichte vier scores, nodig om mijn handicap op een aanvaardbaar niveau te houden, bij de handicapcommissie te kunnen inleveren.

❧

In de buurt was mijn aanzien inmiddels zo gestegen, dat ik gevraagd werd voor de rikclub. Rikken is een kaartspel, dat in het westen toepen wordt genoemd en dat het best omschreven kan worden als een rudimentair soort bridge. Wij waren met zijn vijven, zodat om de vier tafels iedereen even kon gaan plassen of rustig een biertje kon drinken. Het rikken vond wekelijks om toerbeurt bij een van de spelers thuis plaats, in de huiskamer waar altijd de vrouw des huizes met een stel kinderen of kleinkinderen naar een quiz op de televisie keek, altijd naar de commerciële omroep omdat bij de publieke omroep een soort Nederlands wordt gesproken, dat voor mijn buurtgenoten kennelijk wat te gecompliceerd was. Er werd om kleine bedragen gespeeld, omdat niemand zin had met papier en potlood de stand bij te houden.

Mijn medespelers waren een aardige dwarsdoorsnede van de Nederlandse veehouderij: een kippenboer, een melkveehouder, een varkensfokker en een veeboer die hield waarvan hij op dat moment dacht iets aan te kunnen verdienen.

De laatste was onze directe buurman Piet, die met zijn vrouw Anneke ons inwijdde in de geheimen van de buurt en ons bijvoorbeeld ook leerde wat je zou kunnen doen met puin, oud ijzer, oude huisbrandolietanks en zo al. Namelijk met een kraan ergens op het land een heel diep gat graven, alles er in gooien en vervolgens dat weer dicht maken. Dat scheelde erg veel geld bij de vuilstort; het was alleen wel verstandig dit alleen te doen als de helikopter van de milieudienst zeker niet in de lucht was, bijvoorbeeld op zondag tegen een uur of zes. Piet liep al tegen de zeventig en was het prototype van een oudere boer met uitsluitend een paar klassen lagere dorpschool, die geen krant las (alleen het huis-aan-huis blad), vrijwel nooit televisie keek omdat hem dat te snel ging en geen enkele boodschap had aan 's-Hertogenbosch, Den Haag of Brussel. Van de laatste twee plaatsen wist hij slechts vagelijk waar ze lagen, maar hij was er nog nooit geweest. Piet had dan ook weinig op met de verworvenheden van de moderne tijden, de steunzolen in zijn laarzen daargelaten. Hij sproeide zijn drijfmest nog ouderwets direct op zijn land, mestinjecteersystemen waren volgens hem nergens goed voor. Hij hanteerde ook nog steeds de geboortekrik, een (verboden) middeleeuws martelwerktuig dat goed van pas kwam als een koe problemen had bij het kalven en dat de veearts uitspaarde. Alleen als de koe het niet leek te overleven, haalde Piet er de veearts bij.

Piet had altijd wel wat varkens en soms koeien, Belgische dikbillen of iets exotisch, met rare horens, die iemand hem had aangesmeerd. Eens zag ik op zijn erf een enorme berg halfrottende appels, die hij voor een prikje te pakken had kunnen krijgen en als veevoer wilde gebruiken. Zijn varkens waren enthousiast, maar enkele dagen later lagen al zijn koeien langs de kant van ons weggetje met opgeblazen buiken en de poten omhoog op de komst van de auto van het destructorbedrijf te wachten. Toen ik mij naar Piet begaf om hem te condoleren en de koeien voorbij liep, hoorde ik in de magen van die herkauwers de appeltjes nog gisten en borrelen. Piet was dagen toch wel een beetje aangeslagen. Ik bood aan om hem in het vervolg mijn afgemaaide gras te geven, wat natuurlijk niet geheel onbaatzuchtig was, want ik zat er behoorlijk mee in mijn maag, maar Piet zei verontwaardigd dat zijn koeien geen gras aten.

Piet en zijn vrouw Anneke konden zich heel aardig in het leven redden. Dat had dus niet te maken met hun vakkennis als boer en boerin, maar met het feit, dat zij volledig self supporting waren. Hun zonen en schoonzonen waren metselaar, timmerman, loonwerker, bakker, vrachtrijder en draglinepiloot. Piet had eigenlijk maar één probleem: een panische angst voor de tandarts. Gelukkig had zich dat, zoals dat gaat met sommige problemen, bijna vanzelf opgelost. Hij had nog maar één stompje, in zijn bovenkaak, dat nog goede diensten bewees als op een feestavond sparerib gegeten moesten worden. Piet en Anneke waren zeer gezien in de buurt, er waren altijd kinderen, kleinkinderen en buurtgenoten over de vloer. Als buren straalde deze populariteit een beetje op ons af. Piet kon ook heel aardig rikken en omdat hij niet van bier hield (omdat hij dan 's nachts uit zijn bed moest en bij hem had alleen de varkensstal centrale verwarming) kon hij meestal aan het eind van de avond wel zijn slag slaan.

Een paar jaar later vertrokken Piet en Anneke naar het dorp, waar zij vlak bij de kerk een volledig gemeubileerd huis hadden gekocht. Voor Piet veranderde er niet veel, hij gaat nog steeds elke dag naar de boerderij, om tot zijn volle tevredenheid precies hetzelfde te doen wat hij zijn hele leven al gedaan had.

Zo ongecompliceerd als de omgang met Piet kon zijn, zo problematisch was het met Jan, de vader van de zo tragisch omgekomen Johan. Volgens zijn goede vriend en collega-boer Piet was Jan altijd al een stille, gesloten man geweest, maar nu hing er een inktzwarte mist om hem heen, die pas een beetje optrok na het vijfde glas vieux. Een stilzwijgende afspraak tussen de andere vier was dan ook dit antidepressivum zo snel mogelijk toe te dienen. Iedereen had het natuurlijk met Jan te doen en omdat Piet meestal wel wist wat er aan de hand was, werden wij vooraf gewaarschuwd als ergens even niet over gepraat moest worden. Gelukkig werd de boerderij van Johan snel verkocht aan iemand die iedereen aardig vond, maar het werd toch weer moeilijk toen de verhuizing zich daadwerkelijk voltrok. Zo waren er in die maanden en jaren daarna steeds van de onvermijdelijke momenten, die alles weer boven haalden. Na een paar jaar verhuisden Jan en zijn vrouw ook naar het dorp. Maria en ik zijn nog een keer op bezoek geweest om het huis te bekijken; Jan oogde opgewekt, maar stierf een paar maanden later. De buurt vond het heel goed dat wij vieren trachtten Jan wat op te beuren. Ik weet het niet. Soms is de teleurstelling in het leven zo groot, dat iemand maar beter met zijn leed alleen gelaten kan worden om ongestoord weg te zinken in afwachting van het bevrijdende einde, hoe dan ook.

Jan zelf had voor hij in het dorp ging wonen zijn boerderij verkocht, dat wil zeggen de grond en de melkquota aan enkele andere boeren. Helaas ging de boerderij, met een klein beetje grond daar omheen, naar iemand die een minicamping wilde beginnen. Er waren inmiddels in de loop der jaren drie boerderijen, waaronder ons huis, aan hun agrarische bestemming onttrokken en woonhuizen geworden. In die gevallen waren alle of de meeste stallen, met subsidie, afgebroken. De overgebleven stallen leden een kommervol bestaan als caravanstalling. Hoeveel Nederlanders er in Europa ook in caravans 's zomers het verkeer hinderen, de stallingcapaciteit op het platteland zal altijd ruimschoots voldoende zijn!

De nieuwe eigenaar van Jans huis was dus de eerste minkukel, die met een volkomen overbodig bedrijfje in onze buurt het beschermde Brabantse landschap zou gaan aantasten. Hoewel het streekplan sprak van 'kamperen bij de boer', was het hem gelukt, omdat op de secretarie een paar jongens werkten die hij uit het café kende, de gemeente zover te krijgen, dat in zijn speciale geval 'kamperen bij de burger' ook een vergunning opleverde. Het duurde dan ook niet lang voor allerlei stadsproletariaat in pitbullsmokings op onze landweggetje rondscharrelde; natuurlijk kwamen ze niet op ons terrein, want onze twee honden liepen altijd los en de hele buurt wist dat een van hen, een prachtige oranjeschimmel cocker spaniël, vals was en er niet tegenop zag zijn tanden in een bezoeker te zetten als Maria die bezoeker niet als goed volk bij hem hadden aangeprezen. Ook verscheen in ons uitzicht een roestige motorboot op een platte kar en een oude roze Oldsmobile.

De andere twee, boeren van omstreeks de veertig, behoefden gelukkig minder omzichtigheid en zorg dan Jan. De ene, Toon, hield kippen althans mestte kuikens, wat betekende dat eens per tweeënveertig dagen grote hoeveelheden kuikens bij hem werden afgeleverd, die in korte tijd met krachtvoer en warme lampen opgefokt werden tot op kippen lijkende schepsels, die ingevroren voor bodemprijzen in Belgische supermarkten werden verkocht. Deze kippen bestonden grotendeels uit water en konden, naar analogie van de tomaten die indertijd naar Duitsland werden geëxporteerd, met recht 'Wasserbomben' worden genoemd, de botjes kwamen het kraakbeenstadium nooit te boven. Toon hield altijd een stelletje kippen voor zichzelf achter, die buiten mochten lopen, iets waar ze eigenlijk niet op gebouwd waren, tot ze door Toons gezin opgegeten werden. Toen zijn vrouw hormonale stoornissen kreeg en hun dochter vroegtijdig in de pubertijd kwam, verbood de huisarts hem hiermee door te gaan. Toon stopte meteen maar helemaal met kippen, ook al omdat hij moeilijkheden kreeg met zijn WAO-uitkering en startte op naam van zijn broer, die overigens ook in de WAO zat, een onderneming die zich er op toelegde toeristen met een paardentram in het bos rond te rijden. Ook dat was geen succes, want de paardentram had geen vering en alle passagiers moesten zich altijd na de rit met ernstige rugklachten onder behandeling van een arts stellen. Het paard vóór die tram was een kruising tussen een Belgische knol en een gewoon paard, van een formaat groot genoeg voor vervoer van veel meer dan slechts vier Heemskinderen. Op zekere dag kreeg het paard in ons uitzicht een hartaanval en stortte levenloos ter aarde. De toeristen hadden iets om thuis te vertellen, Toon en zijn broer doekten het zaakje maar weer op en de buurt had nog in lengte van jaren een sterk verhaal.

Daarna probeerde Toon het nog even met dikbilrunderen, stamboomloze poedels en Mechelse herders. Toen ook dit laatste mislukt was, omdat Toon op een of andere manier altijd dieren voor de fok wist te vinden met ernstige erfelijke afwijkingen, hakte zijn vrouw de knoop door en werd caissière bij de plaatselijke supermarkt. Dat loste veel problemen op: zij kon de hele dag met het dorp converseren, Toon kon de hele dag, zonder door zijn vrouw op de vingers gekeken te worden, in het huis rondscharrelen en het gezin kwam in het ziekenfonds. Dat laatste was wel belangrijk omdat de hormonale problemen, die de consumptie van eigen kippen had veroorzaakt, nog steeds niet verleden tijd waren. Toon kon overigens heel erg goed rikken, ook omdat hij de enige was die zijn hoofd erbij hield en altijd exact wist welke kaarten nog in het spel waren.

De vijfde die meedeed was een zekere Mart. Mart verschilde nogal van de anderen, omdat hij geen Kempenaar was maar ergens uit Noord-Limburg kwam, waar hij met zijn vrouw op de middelbare landbouwschool had gezeten. Mart was dus de enige van de vier boeren die meer had dan lagere school. Zijn biggenfokkerij was zoals dat heet 'state-of-the-art': schoon, licht, verwarmd en er werd popmuziek gedraaid. In dit geval was dat Queen, waarvan volgens Mart bewezen was, dat zeugen het er heel goed op doen. Er was niet meer zoiets ouderwets als een beer, het bevruchten deed Mart zelf (ter voorkoming van misverstanden met zaad van de 'bank'). Mart had een forse computer met forse software, waarmee het voederen, het toedienen van antibiotica en groeibevorderende chemicaliën werd geregeld. Marts probleem was dan ook niet gebrek aan vakkennis, maar het feit, dat hij geld van de bank had moeten lenen om zijn bedrijf te kunnen kopen en inrichten, terwijl de anderen hun boerderij hadden geërfd en zich slechts druk maakten over de variabele kosten.

Mart was uiterst precies als het ging om bacteriën en virussen; als zijn collega's eens een kijkje wilden nemen, werden zij eerst vakkundig ontsmet, wat zij dan toch weer als een motie van wantrouwen zagen.

Ik heb nog wel eens voorgesteld samen een kleine fokkerij van wilde zwijnen te beginnen, ook al omdat ik dacht daarmee een aardig nieuw conversatieonderwerp bij onze vrienden en kennissen in Rotterdam te hebben, die inmiddels al wat uitgekeken raakten op onze tuinverhalen. Bovendien zag ik daar ook om ideële redenen meer in, dan in het op de wereld zetten van zoveel mogelijk varkens, die, na onverdoofd gecastreerd te zijn, uitsluitend dienden als grondstof voor ongezonde gehaktballen, spareribs of in het beste geval Wiener Schnitzels. Mart bleek er toch uiteindelijk niet voor te voelen, niet omdat hij zo traditioneel was, dat hij dit decadente experiment niet aandurfde, maar hij was bang, dat als hij dit zou doen, hij in het vervolg van de buurt de schuld zou krijgen van alle veeziekten, die nu eenmaal met de regelmaat van de klok uitbreken.

Uiteindelijk hield Mart het, na het zoveelste jaar van beroerde varkensprijzen, niet vol. Hij verkocht zijn boerderij aan iemand, die er een woonhuis van maakte en zijn inventaris aan een collega. Zijn vrouw en hij, hun zoon en een schattig geadopteerd Colombiaans negerinnetje vertrokken naar Alentejo. Wij werden meteen laaiend enthousiast en voorzagen voor hen een grootse toekomst als fokkers van pata negra varkens, waar in Spanje de hammen van gemaakt worden. Kennelijk zaten ze daar in Portugal toch niet echt op te wachten en uit e-mails die de buurt van tijd tot tijd ontving bleek, dat Mart aan de verkoop van zijn boerderij voldoende had overgehouden om het bij rentenieren te kunnen laten. Wij hadden op foto's gezien, dat op het terrein van Mart veel eikenbosjes stonden en gezien zijn voorliefde voor een allesbrander, maakten wij ons alleen zorgen over de vraag of er wel aan herbebossing werd gedacht.

Het gezag, dat Mart bij zijn collega's had, kwam voort uit het feit dat hij in het bestuur van de plaatselijke boerenleenbank zat. Zoals gezegd regeert die bank het platteland met harde hand en de anderen zaten dan ook regelmatig te vissen naar nieuwtjes uit het lokale bankwezen. De anderen hadden de bank eigenlijk zelf niet nodig, maar een buurman kon zijn boerderij niet aan een van zijn zonen kwijt, omdat die niet voldoende kredietwaardig was. De boerderij was ongeschikt om als woonhuis aan een stedeling te worden verkocht en het plan van de buurman om ook in het dorp te gaan wonen ging dus niet door. Daarmee werd een grove inbreuk op vertrouwde plattelands zekerheden gemaakt, die tot aanzienlijke onrust leidde.

De rol van de boerenleenbank bleek nog veel verder te gaan. Ik had wel eens gezien, dat onze buurman Dries een flinke stapel bankbiljetten in een oude sok, dat wil zeggen de sok die hij aanhad, bij zich had, toen hij mij de blauwe plek liet zien die het gevolg was van een trap van een kalf, die dat ondankbare beest hem had verkocht bij het aanbrengen van een oormerk. Ik wist niet dat deze gewoonte van stapels bankbiljetten in sokken en laarzen nog zo wijd verspreid was. De dag nadat de euro was ingevoerd, moest ik even iets doen op de boerenleenbank, waar ik eigenlijk vrijwel nooit kwam. Toen ik nietsvermoedend naar binnen stapte, bleken daar ongeveer alle boeren uit het dorp te staan. De stallucht en de stank van zware shag waren niet te harden. Tot mijn verbazing werden er nogal wat vijandige blikken in mijn richting geworpen; gelukkig waren er ook een aantal bekenden van de Heikant, die uitlegden dat in mijn geval sprake was van goed volk en dat ik niet van de Belastingdienst was. Wat bleek: alle stapels guldenbiljetten uit alle sokken werden die dag omgewisseld in stapels kakelverse eurobiljetten. Zo bleek maar weer, dat als het er echt op aankomt de boerenorganisaties hun mannetje staan en hun leden tegen Haagse nieuwlichterij weten te beschermen.

Al met al waren rikken, bierdrinken en vette worst eten genoeglijke bezigheden, die ik heb volgehouden tot wij doordeweeks in Rotterdam gingen wonen. Er werd weinig gepraat en wat er gezegd werd verstond ik aan het eind van de avond toch al niet. Kortom, het rikken was een schoolvoorbeeld van die verworvenheden, die het gezelschap van mannen onder elkaar zo aangenaam kunnen maken.

Wij waren onze naïviteit als het ging om de groeikracht van onkruid natuurlijk allang kwijt en toen in het eerste najaar een egale groene waas van opkomend graszaad te zien was, wisten we dat het veel te vroeg was onszelf al te feliciteren. De tuinarchitect B. had ons bovendien keer op keer gewaarschuwd, dat door die overvloedige bemesting door onze buren de grond van onze tuin eigenlijk te rijk geworden was. Zeker het maken van een wilde tuin, op de stukken die daarvoor in aanmerking kwamen, zou volgens B. vele jaren gaan kosten, omdat wilde bloemetjes en plantjes overwoekerd zouden worden door wild gras, panen, distels en ander taai onkruid. Een grasveld, dat ging natuurlijk wel; door de keuze van een mengsel van snel groeiende grassen, dat speciaal ontwikkeld was voor sportvelden en een paar keer per jaar rijkelijk strooien met kunstmest, ontstond een mooie dichte grasmat, waarop, als men dat zou willen, goed met blote voeten gelopen kon worden. We hadden na een paar jaar geen last meer in het gras van panen, weegbree, mos en ander onkruid. Het nadeel was wel, dat het gras zo hard groeide, dat in het voorjaar en het begin van de zomer om de drie dagen gemaaid moest worden. Ook omdat het gazon door de hele tuin liep en hier en daar een beetje glooide, had het wel iets van een goed onderhouden fairway. Vrienden raadden aan om ook maar meteen een par-3 uit te zetten. Door al dat gewerk in de tuin ging mijn golf flink achteruit en kon ik enige oefening vlak bij huis best gebruiken. Gelukkig ziet Maria niets in golf, omdat het spelletje haar net iets te veel aan echte sport doet denken, en ging het plan niet door.

Wij hadden dan wel het onkruid in het gras onder controle, aan mollen moest ik in het begin even wennen. Het derde jaar ontstonden er ineens overal molshopen in het gras, die ik aanvankelijk met een spade weer egaliseerde. Er kwamen echter steeds weer en steeds meer nieuwe en bovendien verzwikte ik af en toe bijna mijn enkel als ik weer eens op een gang trapte. Ik vroeg mijn rikvrienden om raad.

Het bleek dat de vader van Toon, ene Jan, ver over de tachtig, door iedereen als de beste mollenvanger van de buurt werd gezien. Een dag later kwamen Toon en Jan opdagen met een groot aantal mollenklemmen; ik kreeg uitgebreid college over de werking van de klem, molshopen, gangen en het moment van de dag waarop de mol actief was. Daarna volgde een mollenclinic, waarbij elf klemmen overigens zeer tegen de zin van Maria uitgezet werden, die toen wij de volgende dag de klemmen inspecteerden een oogst van zes mollen opleverden. Volgens Jan één volwassen mannetje, twee vrouwtjes en wat klein grut. Daarmee waren de mollen overigens nog niet uitgeroeid. Uiteindelijk ving ik er dat jaar drieëntwintig, het volgend jaar twaalf en het jaar daarop nog drie.

Veel later moest ik nog wel eens een mol, die verdwaald was, onschadelijk maken, maar uiteindelijk werd ik het probleem volledig de baas. Dat was maar goed ook, want onze latere tuinman Piet, die voordat hij gepensioneerd werd verantwoordelijk was voor de sportvelden van de naburige gemeente, had een mollenfobie. Het was hem een keer overkomen, dat een van 'zijn' sportvelden, na 's nachts te zijn omgewoeld door het mollenleger, moest worden afgekeurd, terwijl daarop die dag de derby Oostelbeers versus Westelbeers, waarbij zoals altijd het gehele gemeentebestuur aanwezig zou zijn, gespeeld zou moeten worden. Piet had toen een openbare berisping van de burgemeester gekregen en had daarna regelmatig last van nachtmerries.

Piet was ook geen goede mollenvanger; ik zei hem regelmatig de klemmen niet met blote handen te zetten, omdat de mollen, die ongeveer blind zijn maar goed kunnen ruiken, dan onmiddellijk zouden merken dat hij bezig was geweest. Piet geloofde me natuurlijk niet of was gewoon eigenwijs, maar ik heb in iedere geval Piet er nooit één zien vangen. Dat leverde dan altijd een uiterst koddig schouwspel op: als wij samen de vallen gingen inspecteren, waren die meestal wel dichtgeklapt, maar leeg. Piet zag dat dan als een persoonlijke belediging, ging onmiddellijk over de rooie en probeerde als een razende met een spitvork de beesten uit te graven, hetgeen natuurlijk nooit lukte. Na een half uur kreeg ik meestal wel genoeg van het schouwspel, al was het alleen maar omdat Piet per uur betaald werd en het ook nog wel een half uur zou kosten voordat Piet de schade aan de grasmat, die niet de mol maar hijzelf veroorzaakt had, weer had hersteld. Ik zei dan dat we thee moesten gaan drinken en dat hielp, omdat Piet altijd graag de laatste mop, die hij bij het biljarten had gehoord aan Maria wilde vertellen. De dag daarna kreeg ik de mol in kwestie eigenlijk altijd wel te pakken. Later ging het gerucht, dat iemand in Den Haag het vangen van mollen had verboden, maar niemand wist daar het fijne van en dan geldt op het Brabantse platteland het gezegde 'Er mag zo veul nie'.

Waren de grasvlaktes dus aardig onder controle, dat kon niet gezegd worden van het onkruid op de plaatsen waar bomen, struiken en hagen waren aangeplant. In het tweede jaar was nergens meer zwarte aarde te bekennen. De vorige bewoner had iets met bereklauw (Heracleum) gehad en die kwamen op de gekste plaatsen boven de grond. Ook het grind van de oprit en de parkeerplaats begon een rommelige indruk te maken. Een bestrijdingsplan was dus acuut nodig, al was het alleen maar omdat als het onkruid de vrije loop werd gelaten, de buurt ongetwijfeld in opstand zou zijn gekomen. De boeren en boerinnen waren nu eenmaal panisch als het ging om overwaaien van onkruidzaad naar hun groentetuintjes met sperziebonen en sla, die altijd toevallig net geoogst moesten worden als de boontjes en de sla in de supermarkt het goedkoopst waren. Het was dus nog niet eens echt gemakkelijk om een aanbod van de buren om de distels en bereklauwen 'even kapot te spuiten' diplomatiek af te wimpelen. Ik probeerde dan uit te leggen dat ik trachtte het onkruid met zo min mogelijk bestrijdingsmiddelen de baas te worden, door de natuur zo veel mogelijk zelf het werk te laten doen. Bijvoorbeeld, distels konden natuurlijk ook stuk voor stuk uit de grond getrokken worden, maar het was nog veel gemakkelijker om met een sikkel alleen maar de bloemen er af te slaan en de natuur, in dit geval het fenomeen van tweejarigheid, zijn werk te laten doen. Dat werkte ook bij de berenklauwen; berenklauwen zijn gevaarlijk voor kleine kinderen omdat het sap tot blaren op de onbedekte huid leidt. Pas veel later zijn wij op een afgelegen plek, waar een lelijke schuur van een van de buren aan het gezicht onttrokken moest worden, weer heel voorzichtig met deze op zich aardige planten aan het experimenteren gegaan.

Het taaiste ongerief waren en bleven de panen, die niet handmatig uit te roeien waren. Wij waren er inmiddels achtergekomen dat in de professionele handel in bestrijdingsmiddelen een grote verscheidenheid aan gericht werkende chemicaliën bestond die in de grote tuin veel economischer toegepast konden worden dan de middeltjes die bij elk tuincentrum te koop zijn. Bovendien is spuiten, als het ook maar een beetje waait en dat doet het altijd, een riskante bezigheid. Korrels, als die er zijn, zijn dan ook een betere oplossing. Helaas waren deze wondermiddelen nogal duur, zodat voor het schoonmaken van een heel bos een andere oplossing gezocht moest worden. Er moest dus een schoonmaakplan gemaakt worden. Storend was overigens wel dat de beste onkruidbestrijdingsmiddelen altijd na een paar jaar op last van de ambtenarij in Den Haag weer uit de handel genomen werden. Er kwam dan wel weer iets nieuws, maar uiteindelijk was het toch prettiger om alles maar in België te kopen, waar men ook op dit punt wat minder neurotisch is.

Uiteindelijk besloten wij op de grond van de stukken bos vóór het huis ruimhartig Hedera helix (klimop) aan te planten. Dat leverde na een paar jaar, waarbij elk jaar minder onkruid getrokken moest worden, een perfecte bodembedekking op, waar vooral padden zich goed thuis voelden. In een reep aan de zijkant van het huis werd Lamium maculatum geplant en dat was een veel minder goed idee. In de lente, vooral als de lamium in bloei stond, zag het er prachtig uit, maar in de rest van het jaar maakte het alleen maar een rommelige indruk. Uitsluitend omdat ik ze zelf geplant had, werden ze er nooit uitgehaald en vervangen door iets anders. Wij besloten de nieuwe houtwallen en het bos, waar het ven half in lag, maar zo te laten, omdat wij er toch vanuit gingen dat na verloop van tijd onder de bomen niets meer zou groeien. Dat was ook zo, maar de randen moesten toch elk jaar met de bosmaaier aangepakt worden. Elk jaar leverde de jaarlijkse snoeibeurt van de bosjes zoveel takken en hout op dat met hulp van een versnipperaar een jaarlijks groeiend stuk met houtsnippers bedekt kon worden. Wij verheugden ons over de gedachte, dat na twintig jaar het hele bos jaarlijks bedekt zou kunnen worden en wij de natuur zijn gang konden laten gaan. De natuur leverde na tien jaar overigens ook jaarlijks minstens drie kubieke meter openhaardhout op, die opgestookt moesten worden, omdat wij de voorraad niet groter dan tien kuub wilden laten worden. Wij hadden weliswaar een heel grote open haard, maar aangezien ik er een hekel aan heb om het nuttigen van alcoholische versnaperingen te moeten onderbreken voor het gesjouw met hout, draagt het feit dat wij nu in onze huizen geen open haard meer hebben toch aanzienlijk bij aan mijn huidig gevoel voor well being.

Het is onmogelijk om een grote tuin in de hand te houden zonder een goede bosmaaier en in Frankrijk maai ik er het wilde gras onder de olijfbomen mee. Het is wel van belang er één met een viertakt motor te nemen, omdat die op gewone euro-95 lopen, zodat dat geknoei om zelf mengsmering te maken dan achterwege kan blijven. Toen een paar jaar geleden in de garage in Frankrijk ingebroken werd, bleken de onverlaten er alleen met die bosmaaier en een oude waxcoat van Maria vandoor gegaan te zijn en konden wij de Gendarmerie er op attenderen vooral naar inbrekers met kennis van zaken te zoeken.

❦

Onze tuin bestond, toen wij het huis kochten, dus voornamelijk uit weiland, maar er waren ook een paar bruikbare bomen. Bij het bakhuis stonden twee hele grote Populus nigra en ergens op een hoek stonden een paar Populus alba (witte abeel), niet echt mooi maar toch te goed om te rooien. Midden in het grasveld achter het huis stonden twee perenbomen, die nog voor de oorlog door Stan waren gezet. De linker boom bracht elk jaar een overvloed aan ongelofelijk melige handperen voort, die uiterst populair bij de kraaien waren en de andere boom leverde stoofperen. Een keer per jaar plukte Maria een portie, waarvan met Rivesaltes van Domaine Gauby (rode dessertwijn) iets lekkers gemaakt werd. Het enige wat stoorde, was dat Stan niet meer wist, als hij het al ooit geweten had, om wat voor perensoort het ging. Het hoort nu eenmaal tot de goede tuinmanieren bij de conversatie alleen maar de Latijnse namen te gebruiken en niet weten wat er staat kan natuurlijk helemaal niet. Vlak bij die perenbomen stond ook nog een ongeveer twintig jaar oude appelboom; toevallig wist hovenier Sjak dat het een Bramley's Seedling betrof. Dat soort was nieuw voor ons en wij waren blij verrast te merken, dat het om de ideale moesappel ging met een betere smaak en een betere structuur vruchtvlees dan de goudreinet 'Schone van Boskoop' die in Nederland algemeen is. Als alles een keer meezit worden Bramley's bijna zo groot als een voetbal en de eerste keer dat dit gebeurde vulden we een aantal kisten voor de studentenhuizen waar onze kinderen woonden. Toen wij later kwamen controleren of onze kinderen wel gezond leefden, zagen wij dat grote appels ook grote rotte appels opleverden.

Naast ons huis, tegen de stal van de buren, stond nog een heel oude en heel grote Castanea sativa (tamme kastanje). De kastanjes leken nergens op, maar de boom was groot en maskeerde de stal van de buren heel aardig. Op een kwade dag liet de buurman een grondwaterpomp slaan net aan de andere kant van de muur om in het vervolg zijn stal met grondwater schoon te spuiten. Het grondwaterpeil daalde daardoor aanzienlijk en de tamme kastanje legde na bijna honderd jaar het loodje. Wij lieten daarna een rambler, in dit geval een Wedding Day in de boom zijn gang gaan, maar we gaan ervan uit dat T., de nieuwe bewoner van ons huis, inmiddels zijn kettingzaag zijn werk heeft laten doen.

Inmiddels waren wij ook wel gewend geraakt aan het verschijnsel 'uitval' of, zoals een kweker eens tegen ons zei, toen wij ons beklaagden over een dure aankoop, die het had begeven: 'Bomen gaan soms dood, net als mensen.' Deze wijze woorden waren in zoverre van belang, dat wij er bij het planten altijd rekening mee hielden. Bij solitaire bomen is er natuurlijk niet sprake van een echt probleem, maar als er eens om esthetische redenen hier en daar een plukje van drie of vijf zou moeten komen (twee of vier staan nooit mooi), dan zette wij er altijd vijf of zeven. Als er dan eens één sneuvelt, is het meestal gemakkelijker nummer vier of zes te kappen dan om bij te planten. Alleen bij rijtjes of laantjes werkt dit beleid natuurlijk niet en is bijkopen van een fors, maar duur, exemplaar de enige oplossing.

Meestal was eenmaal vervangen bij uitval wel voldoende. Zo niet bij rozen. Toen wij eens op het idee gekomen waren, dat tegen een hekje achter een blauwe border een 'Paul's Lemon Pillar' geweldig zou staan, was ik, toen wij weer gingen verhuizen, net toe aan de vierde vervanging, ondanks steeds weer nieuwe plantgaten, de juiste mest en een als betrouwbaar bekend staande rozenkweker.

※

Het was natuurlijk van het begin af aan duidelijk dat onze tuin veel te groot was voor twee mensen. Wij zochten dus naar een tuinman, zoals wij die ook bij ons vorige huis gehad hadden: iemand die gras maaide, de kantjes knipte, de rommel opruimde, maar het planten en snoeien het liefst aan ons overliet. Wij wisten dat dergelijke lieden in Brabant moeilijk te vinden zijn. Brabanders, zeker die op het platteland, hebben niets met de natuur. Bomen zijn er om opgestookt te worden in de houtkachel, grond is handig om een beetje groente op te verbouwen en een grasveldje dient als ondergrond voor het kinderbadje. Hard werken is sowieso geen Brabantse specialiteit, maar hard werken in de tuin is rondweg belachelijk. Zwartwerken is prima, klussen kan ook, want daarmee bespaar je geld, maar in de tuin pielen is iets voor 'ons moeder'.

Tuinlieden zijn in Brabant dus alleen aan de randen van de maatschappij te vinden. Nu bevond zich aan het eind van ons weggetje, waar het asfalt allang in een zandpad was overgegaan, een bosje met daarin een bouwsel dat het midden hield tussen een oude schuur, een stacaravan en een onbewoonbaar verklaarde woning. Daar woonde ene Pietje met zijn Thaise vriend Sophon. Pietje kwam uit een omvangrijke familie uit het dorp, had in zijn leven overal van alles gedaan en had op een van zijn reizen een Thai van dertig, met een filmsterachtig uiterlijk, opgeduikeld. Hij vertelde altijd, dat hij die eerlijk gekocht had en dat geloofde de buurt wel, want iedereen wist dat Pietje een overtuigd aanhanger van de herenliefde was. Pietje zelf deed niet zoveel meer, maar liet Sophon als het enigszins lukte flink werken, meestal in de bediening van een of andere kroeg of pannenkoekenhuis.

Zo werd ons al gauw de Thai als tuinman aangeboden. Wij zagen daar wel wat in, want ons was verteld dat Sophon vroeger nog op de rijstvelden had gewerkt en iedereen die Indische kennissen heeft weet dat dit zwaar werk is. Wij zochten de sikkel op en lieten Sophon de nepeta opruimen; die klus was in een paar uur geklaard, maar omdat Pietje al die tijd bij ons binnen had zitten buurten en bier drinken lieten wij het toch maar bij deze ene keer.

In diezelfde tijd gebeurde het dat mijn Rotterdamse collega van een oude bekende een ontwerp voor een revolutionaire hoogrendement verwarmingsketel had gekocht. Omdat hij daarom uitgelachen was door de commissarissen en zijn ingenieursbloed was gaan koken, was hij op zoek gegaan naar een instelling, die de schetsen en tekeningen in een echte kachel zou kunnen omzetten. Zo was hij merkwaardigerwijs bij de Tilburgse Sociale Dienst terecht gekomen, die in die tijd nog zwaar gesubsidieerd werd. Het lukte inderdaad om in een paar jaar het wiel opnieuw uit te vinden en vanwege die subsidie werd het ook niet een al te dure hobby. Toen mijn collega kort daarna met pensioen ging, stopten wij natuurlijk met die onzin en gaven het hele handeltje aan een Italiaanse fabrikant, die er nog blij mee was ook. Ik had helaas meer met het project te maken dan mij lief was, maar leerde daardoor wel die Sociale Dienst kennen. Er bleek ook een hele grote hovenierstak te zijn die meestal voor gemeentes werkte, maar ook particulieren, zoals pastoors, niet versmaadde. Zodoende heeft een aantal jaren, tot de subsidies na een bezuiniging weer vervielen, een ploeg van een man of acht maandelijks in onze tuin staan schoffelen en harken. Acht man lijkt veel, maar is dat in Sociale Diensttermen niet. Alleen de voorman, de enige die een rijbewijs had en dus het busje bestuurde, een wat stuurse man waar iedereen een beetje bang voor was, omdat hij in de bak gezeten had na zijn moeder met een pan kokend water overgoten te hebben en een telg uit een keurige Tilburgse familie, die nauwelijks kon praten, konden er mee door. De rest vertoonde het beeld, dat in die tijd in elk gemeenteplantsoen waargenomen kon worden: een aantal shagrokende als tuinman verklede lieden, die op een schoffel of een hark leunden en zich elk half uur een meter verplaatsten. Het enige wat het enthousiasme wist op te wekken, was grasmaaien, omdat degene die dat mocht doen (er werd om geloot) op de maaimachine mocht zitten. Omdat de gelukkige meestal niet eens opgegaan was voor de keuring voorafgaande aan het afleggen van het rijexamen, werden alle frustraties op onze maaimachine uitgeleefd. Met de Sociale Dienst was afgesproken dat schade door ongelukken door hen zou worden hersteld. In die jaren moest dan ook met enige regelmaat een omver gereden boompje worden vervangen. Ook lukte het niet altijd het rempedaal en het ontkoppelingspedaal uit elkaar te houden, zodat de machine af en toe in een bloeiende border tot stilstand kwam. Het spreekt voor zich, dat wij aan die tijd fraaie foto's hebben overgehouden, die wij eigenlijk best eens naar de World Press fotoverkiezing hadden kunnen opsturen.

※

Na een aantal jaren was het moment aangebroken om het bomenbestand wat gevarieerder en interessanter te maken. Hier en daar waren gaten gevallen en was het duidelijk geworden wat het in onze tuin goed deed of wat vervangen moest worden. Ook was onze tuin natuurlijk groot genoeg om zowel bomen te bevatten die mooi bloeiden, als bomen die in de herfst fraai verkleurden. Inmiddels was gelukkig ook een patroon van licht en schaduw ontstaan; de eerste jaren werden wij wel eens wanhopig van een tuin die in de zon lag te blikkeren en er uitzag als een derderangs gemeenteplantsoen. In die eerste jaren hadden wij trouwens ook een probleem met het grondwaterpeil, omdat dat meer dan anderhalve meter kon variëren. Door een overloop aan te leggen van het ven naar de sloot, voorzien van een kloeke schuifafsluiter, kon het peilverschil teruggebracht worden naar een halve meter. Daarmee hoorde ook het vochtprobleem in het bakhuis, dat wat lager lag, tot het verleden.

Wij maakten een boodschappenlijstje van interessante bomen, zoals een paar rode beuken, Fagus sylvatica 'Atropunicea' en een 'Pendula' voor op het eilandje in het ven. Een tulpenboom, Liriodendron tulipifera 'Fastigatum'; wij hadden ook best een paar beverbomen 'Magnolia' willen planten, maar zagen daarvan af omdat die de onhebbelijke gewoonte hadden te vroeg uit te lopen en dan bij een late nachtvorst te bevriezen, zodat die hoopvolle witte of roze bloemen meteen bruin werden, hetgeen elk jaar een deprimerend gezicht is.

Wij plantten ook een amberboom, Liquidambar 'Styraciflora', verschillende esdoorns en platanen en een stuk of tien kastanjes, Aesculus 'hypocastanum', de witte en ook een paar roze Aesculus x carnum langs een van de sloten. In het arboretum van Kalmthout hadden wij een spectaculair bos van Aesculus 'parviflora', de struik, gezien, dat wilden wij ook wel, maar om een of andere reden hebben die het bij ons nooit goed gedaan, laat staan dat er een bosje ontstond, dat ergens op leek.

De volgorde, die wij bij het planten jagen meestal aanhielden, was eerst naar een arboretum, zoals dat in Kalmthout of Trompenburg in Rotterdam, omdat daar de bomen en struiken van volledige en betrouwbare naambordjes zijn voorzien en bovendien in volwassen staat zijn te bewonderen. Dan zochten wij in het onvolprezen boekwerk *Plantvinder voor de lage landen* op wie wat te koop had, om vervolgens naar een of ander kweker meestal in een uithoek van het land te rijden. Dat neemt allemaal niet weg, dat het ons natuurlijk ook wel is overkomen, dat wij in plaats van een clematis 'Mme LeCoultre' een of ander paars monster gekocht bleken te hebben. Bij clematissen, rozen en rododendrons luistert het zoeken erg nauw, omdat de werkelijke kleur meestal storend afwijkt van de foto in de catalogus. Zo zagen wij eens in

Trompenburg een rododendron 'Zuiderzee', met een hele aparte kleur, grijzig-ecru; wij vonden er een en de jacht is dan toch wel buitengewoon bevredigend.

Natuurlijk mogen kweeperen in een boerentuin, ook in een minimalistische, niet ontbreken. Wij hadden drie struiken Cydonia oblonga 'Monstreux de Lescovacs', appelvormig en één hoogstam 'Vranja' , die grote bladen en grote peervormige vruchten heeft en dus ook als decoratieve boom zeer aan te bevelen is. Natuurlijk maakte Maria wel eens pâté de coings of marmelade, maar een grote plak pâté is niet op te krijgen en marmelade de coings is meer apart dan echt lekker. Wij hadden in Frankrijk wel eens couscous met coings gegeten, maar ook dat was geen ervaring om het vaak over te hebben.

Nu wilde het toeval dat mijn kantoor zich aan het begin van de Parklaan in Rotterdam bevond, met uitzicht over de Veerhaven. Een paar honderd meter van mijn kantoor ligt de De Maas, waar ik altijd heenging, als ik iemand iets te eten moest geven. Mijn gasten konden dan gewoon kiezen en de bediendes waren er aan gewend, dat ik zelf altijd een recht toe recht aan biefstuk wilde. Een stukje verder aan diezelfde Maas lag het restaurant Parkheuvel, dat in die tijd drie Michelinsterren had en dat grote aantrekkingskracht uitoefende op sommige niet-Rotterdammers, die het zo wisten te draaien dat ik ze wel voor de culinaire tempel moest uitnodigen. Rotterdammers zoals wij kwamen er zelf niet graag, vanwege het publiek dat dit soort restaurants nu eenmaal in Nederland pleegt aan te trekken.

Op zekere dag trof ik op de kaart 'kweepeer met sabayon' aan; de patron beloofde mij het recept en een paar dagen later ontvingen wij een brief met de volgende instructie:

*Vier kweeperen pocheren in suikerwater (dit is water en*
*suiker met een verhouding van vijftig-vijftig), ze moeten*
*geheel onderstaan. Pocheren tot de kweeperen beetgaar*
*zijn. De kweeperen uit het suikerwater halen (dit suiker-*
*water niet weggooien), en in brunoises (blokjes) snijden.*
*Deze brunoise bakken in boter, afblussen met suiker (eve-*
*tueel een scheutje Poire William of een andere passende*
*likeur toevoegen).*

*Voor de sabayon heeft u nodig:*
*- 1 lepel suikerwater (het kookvocht van de kweepeer)*
*- 1 eierdooier*
*- vanille*
*- 20 gram suiker*

*Het geheel mengen en au bain marie opkloppen tot de*
*eierdooier bindt en er een luchtige massa is ontstaan.*
*Kweepeer op bord garneren, de sabayon erover scheppen*
*en even licht gratineren.*

Een kind kan de was doen, het kost alleen wat tijd. Ik geef toe,
dat het van arrogantie getuigt, maar ik voeg zelf nog wat
verse gemberwortel toe, om het nog iets spannerder te maken en ik kan er een glas Château Rieussec, of een andere serieuze Sauternes, bij aanbevelen.

☙

In het eerste jaar hadden wij dus ook vijftien appelbomen in
ons boomgaardje geplant, niets bijzonders: een paar Goud-
reinetten, een paar Benoni's omdat die zo vroeg rijp zijn en
een paar Cox Orange Pippin's. Niet vanwege de appels, natuurlijk, maar vanwege het gezicht en de bloesem. Uit dat ge-

zichtspunt voldeden de Benoni's overigens nog het minst, omdat hoe ook gesnoeid werd, het stijve boompjes bleven. Wat dat snoeien betreft, wij leerden door schade en schande, dat wij dat toch echt zelf moesten doen, omdat vorm nu eenmaal een kwestie van smaak is. Toen ik zo dom was het een keer, vanwege tijdgebrek, aan Piet de tuinman te vragen deze keer de appelbomen te snoeien, zag het resultaat er uit alsof iemand er even een haal met de kettingzaag over gegeven had, wat best kan omdat Piet ook zo'n instrument had. Pas drie jaar later begonnen de bomen weer enigszins toonbaar te worden.

Daar kwam nog bij dat letterlijk elke boom bij het maaien van het gras onder de bomen wel eens een flinke optater had gehad, zodat de boomvoeten er ook niet meer uitzagen. Gelukkig kwamen in het midden van de jaren negentig oude appelrassen weer in de belangstelling en hadden de gespecialiseerde kwekers al gauw redelijk grote exemplaren te koop, zodat ons boomgaardje een beurt kon krijgen. Uiteindelijk hadden wij ook een Zoete Oranje, een Notarisappel, een Sterappeltje, een Brabantsche Bellefleur en een Groninger Kroon, zodat het totaal wat interessanter werd. Bovendien zorgden de beukenhagen er omheen en een wit zitje er in, dat het er uitnodigend uitzag. Bij het huis plantten wij nog een Zoete Ermgaarde, waarvan de appels perfect zijn voor het aloude gerecht 'hete bliksem'. Ergens bij een hek werden verder, ter accentuering van dat hek, een Gieser Wildeman en een Winterrietpeer geplant, maar daar hebben wij nooit iets aan zien komen.

Onze trots werd ons notenlaantje, een idee van Maria. Wij hadden een keer in een Relais et Château in de buurt van Angers een berceau van walnootbomen gezien (Juglans nigra, die wel wat groter zijn maar een minder dichte kroon hebben dan de Juglans regio); dat leek ons perfect voor een sophisticated boerentuin. Wij lieten op een grasveld, dat liep van het bakhuis naar de oostkant van ons perceel, door Sjak een stellage maken van rondhout en draad en plantten tweemaal zeven notenbomen. Al binnen een paar jaar ontstond de gewenste afwisseling van licht en schaduw. Ondanks het feit dat een walnoot natuurlijk geen leilinde is, ging het uitbuigen van takken toch heel goed en was het snoeien vrij eenvoudig. Het lukte een bladerdak te maken dat voldoende licht doorliet, maar toch niet al te plat van boven werd. In het jaar dat wij ons huis weer verkochten waren wij juist zo ver dat de stellage weer afgebroken kon worden. Vóór het bakhuis hadden wij vijftien meter grasveld opengelaten daar kwam een sokkel met daarop een soort schotel van ongeveer een meter middellijn, die door een Rotterdamse kunstenares gemaakt was om te dienen als vogelbadje en ook als zodanig functioneerde. Aan het andere uiteinde van het notenlaatje kwam een door een jonge ontwerper gemaakte zitbank van beton en teakhout, waarop wij zelfgenoegzaam naar onze creatie konden gaan zitten kijken.

❧

Met de tuin ging het dus wel goed en onze tuin was inmiddels ontdekt door enkele fotografen, die altijd op zoek waren naar locaties waar bruidsreportages gemaakt konden worden. Wij waren natuurlijk wel een beetje vereerd door die belangstelling en vonden het prima, op voorwaarde dat wij dan altijd een foto van het bruidspaar, mits op de rug gezien, zouden krijgen. Tot onze verbazing namen de bruidsparen meestal een uitgebreide verzameling attributen mee: picknickmanden, flessen champagne met glazen en koelers en soms ook een speciaal voor de gelegenheid geleende of gehuurde oldtimer. Uiteindelijk werd het een verbijsterende verzameling, waarvan het toppunt was een foto van een bruidspaar in een wiebelig rubberbootje aan de rand van het ven. Wij schreven de angstige blik van het bruidspaar niet toe aan het feit dat een rubberbootje toch niet een overtuigende metafoor voor het huwelijk is, maar dat het bruidspaar niet kon zwemmen.

Ging het dus goed met de tuin, met de buurt en met de Kempen als streek ging het bepaald een stuk minder. De Kempen, waarvan het grootste gedeelte in België ligt, zijn al twintig eeuwen min of meer bewoond en verwacht zou mogen worden dat het om een interessante streek gaat. De Romeinen waren er ooit doorheen getrokken, tot tevredenheid van archeologen en heemkundigen. In de middeleeuwen behoorde de streek achtereenvolgens tot het Bourgondische rijk en de bezittingen van Karel de Vijfde en Philips de Tweede. In de troonzaal van de laatste in El Escorial zijn kaarten te vinden van al zijn gebieden, dus ook een kaart van de Kempen. Toen onze kindertjes, die toen nog klein waren, ontdekten, dat op die kaart Hapert, waar zij op een protestants schooltje zaten, en Casteren verwisseld waren, was hun geluk compleet.

Na de Tachtigjarige Oorlog werden de Kempen een deel van de Generaliteitslanden. Die tijd is Brabant niet erg goed bekomen, omdat de Hollanders, althans de door hen in de arm genomen warlords, de prinsen van Oranje, met hun huurlingen, er nogal huisgehouden hebben. De tactiek van de verschroeide aarde werd alom toegepast en volgens onderzoek nam in die tijd de bevolking met twee derde af. In Brabant wordt nog steeds op Koninginnedag opvallend weinig gevlagd, wat natuurlijk flauw is omdat de huidige Oranjes niet van die warlords maar van de Friese Nassau's afstammen, die wapen en titel van 'prins van Oranje' alleen maar in 1732 eerlijk van de Hohenzollerns hebben gekocht.

Vervolgens deed ons land een stap terug in de evolutie en werd van een republiek een koninkrijk, waarbij Brabant overgelaten werd aan pastoors en kloosterlingen. De Kempen zijn dus, afgezien van de strooptochten van de prinsen Maurits en Frederik Hendrik, relatief gezien eeuwen lang met rust gelaten en daarom zou een interessante streek met oude stadjes, indrukwekkende loofbossen en interessante monumenten verwacht mogen worden. Niets van dit alles. Turnhout en Herentals kunnen er mee door, de abdij van Postel is ook wel grappig, maar in Nederland ziet de streek eruit alsof alles vijftig jaar geleden is ontstaan op een opgespoten stuk land. Kempenaren hebben bovendien de gave alles zo te verbouwen of te restaureren, als zij de boel niet afbreken, dat alles eruit ziet als een bedenksel van Anton Pieck.

Zelfs als zij zich weten te beheersen, zoals bij de restauratie van de kerk van Diessen, die door de grapjassen van de Winkler Prins wordt gezien als voorbeeld van 'Kempische gothiek', ziet het resultaat er toch uit alsof het eergisteren opnieuw, maar met oude bouwmaterialen is opgetrokken. Om een of andere reden maakt het geheel altijd de indruk van iemand die zijn vergeelde maar nog heel bruikbare voortanden heeft laten opknappen door een onnozele tandarts, waardoor het lijkt alsof hij of zij een kunstgebit heeft. Nog het meest authentiek in de Kempen zijn de pastoorsgraven, die op elk katholiek kerkhof te vinden zijn en waar niemand aan durft te komen omdat niemand een verblijf in het vagevuur durft te riskeren, als een of andere prelaat in Rome er na een zaligverklaring achter zou komen, dat het kerkbestuur het graf van de zojuist tot hogere heerlijkheid bevorderde zalige net had geruimd. Er zijn ook geen oude bossen, zoals bijvoorbeeld in Twente. De Kempenaar zweert bij zijn allesbrander, dus alles wat brandbaar is krijgt niet de kans om oud te worden.

Als de zon schijnt en alles groen is, lijkt het in de Kempen nog wel aardig, maar als het flink geregend heeft, zoals tussen eind oktober en begin maart meestal het geval is, maken de Kempen een desolate indruk. Dat komt vooral doordat de wegen in de Kempen niet aangepast zijn aan de asbreedte van het moderne agrarische verkeer. Weliswaar zijn de meeste kinderkopjes door asfalt vervangen en de kasseien voor veel geld naar België verkocht, maar de melkauto, de auto van het destructorbedrijf, de moderne veewagen en de wagen van de veevoerleverancier zijn te breed voor de wegen. Daardoor zijn alle bermen aan flarden gereden en in modderpoelen veranderd. Dit beeld wordt nog versterkt door de lompe wijze waarop in het najaar de sloten worden gereinigd. Met een grote grijper wordt alle vegetatie afgeschraapt, inclusief beschermde plantensoorten en worden de sloten elk najaar geschikt gemaakt om weer een jaar als tankgracht de vijandelijke cavalerie te kunnen weerstaan.

Ook heeft — zoals gezegd — de ruilverkaveling het Brabants landschap veel kwaad gedaan, alle houtwallen en bosjes zijn met de grond gelijk gemaakt, zodat iets grotere akkers konden ontstaan, waarop maïs verbouwd kon worden, waaraan bij nader inzien ook weinig behoefte bestaat. De laatste jaren zijn door de provincie zeker plannen ontwikkeld om van de beekdalen weer geinige moerasjes te maken, maar dat heeft meer te maken met de langzamerhand problematische afwatering, dan met behoefte aan herstel van natuurschoon.

De hoogste prioriteit heeft het vinden van vervangende besognes voor de agrariër, die als gevolg van de internationale concurrentie en door Europese of Haagse maatregelen zijn bedrijf heeft moeten opgeven en die bij voorkeur uit de bijstand moet worden gehouden. Een sprekend voorbeeld daarvan is het door ons zo verafschuwde beleid ten aanzien van het 'kamperen bij de boer'. Geen enkele minicamping en niet alleen die van onze overbuurman is natuurlijk ooit een lust voor het oog; tien verschoten tenten en twee caravans, die zo oud zijn dat zij allang van de weg zullen zijn gehaald voordat zij de Costa Brava hebben kunnen bereiken, ontsieren altijd het landschap. Maar dat zal de provincie en de gemeente een zorg zijn: de boer moet ten koste van alles financieel zelfstandig gehouden worden, dat geldt ook voor de ex-boer en voor de burger, die toevallig het huisje van de ex-boer heeft gekocht.

De bescherming van het natuurschoon in het buitengebied, nadat de agrarische sector is gesaneerd, is natuurlijk een serieus probleem, maar de Nederlandse oplossing om minimumlijders maar ruim baan te geven, is geen goede keuze. Een verrommeld platteland van nauwelijks meer gebruikte akkers en weilanden, halflege caravanstallingen, opslag van gebruikte auto's die nooit meer verkocht zullen worden, krotten die stiekem permanent bewoond worden, hobbyboeren die denken dat met tien struisvogels veel te verdienen valt, akkertjes met coniferen die niemand wil, handeltjes in pompoenen, oud ijzer en rashonden zonder stamboom, die beter meteen na hun geboorte uit hun lijden zouden kunnen worden verlost, konijnen en sierkippen in bijna instortende schuren vragen om iets meer visie dan de politiek tot nu toe heeft kunnen opbrengen.

❧

Toen wij op de Heikant kwamen wonen, waren er van de in totaal dertien boerderijen nog tien in vol bedrijf. Niet-boeren waren behalve wijzelf, twee lesbiennes, die door de buurt altijd 'de dames' werden genoemd en de broer van Toon, een afgekeurde vrachtwagenchauffeur. Toon had met deze broer samen die paardentram geëxploiteerd, waarmee het zo slecht voor het paard was afgelopen. Verder werd de broer er in de buurt altijd een beetje op aangekeken, dat hij de enige was bij wie ooit was ingebroken, terwijl toch niemand kon bedenken wat daar nu meer te halen was dan een paar roestige jachtgeweren.

Tien jaar later waren er nog maar drie praktiserende boeren over en ook daar was het een aflopende zaak, omdat een opvolger ontbrak. Meestal was dat stoppen volkomen logisch, maar in enkele gevallen ook helemaal niet, zoals bij onze achterburen. Daar vormde een vader en zijn twee zoons een maatschap, waarbij de ene zoon de varkens deed en zijn vrijgezelle broer de koeien, terwijl vader die al in het dorp was gaan wonen, dagelijks nog voor klusjes op de boerderij te vinden was. De maatschap was goed georganiseerd en er was pas nog flink geïnvesteerd in stallen en installaties. Iedereen wist, dat de vrijgezel er alles aan deed om aan die status een eind te maken en op zekere dag vond hij in een dorp verderop een wulpse vriendin, gescheiden, met huis en kind. Hij mocht onmiddellijk bij de vriendin en haar huis intrekken, mits hij het boerenleven af zou zweren. De maatschap ontplofte, de twee overblijvers zagen het niet meer zitten. De varkensboer werd groundsman op de nieuwe golfbaan even verderop, zijn vrouw was uiterst tevreden over zijn nieuwe outfit, die uit de golfshop kwam en ook met het feit dat hij nu niet meer naar de varkens rook. De met subsidie gebouwde schuren werden met subsidie weer afgebroken. Voor de lol hield de ex-varkensboer nog wat design-schapen, die in de wei achter ons huis graasden en zeker niet detoneerden in ons uitzicht. Degene die later ons huis kocht, was bovendien van plan die wei te pachten om zijn uitzicht helemaal veilig te stellen.

De veranderingen bij de buren naast ons waren helaas wat minder. Piet en Anneke hadden hun boerderij aan Sjef en Rian verkocht en waren dus in het dorp gaan wonen. Piet kwam nog elke dag om een beetje op de boerderij en met de

*De boerderij omstreeks 1950*

*1988*

*Het grondwerk 1988/1989*

WOON BOERDERIJ "DE VIERDE LINDE" FAM. VERLAGE
WERK TEKENING 1:10 QUIST - ARCHITECT.

BOVEN AANZICHT     BEKISTING

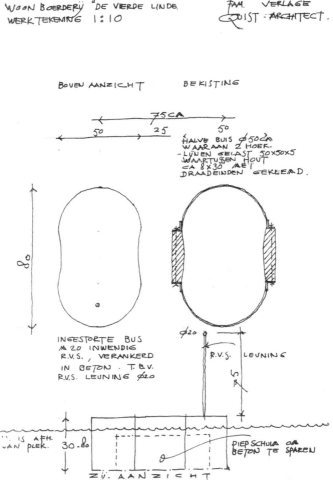

75CA

50     25     50

HALVE BUIS ⌀50CA
WAARAAN 2 HOEK-
-LIJNEN GELAST 50x50x5
WAARTUSSEN HOUT
CA 8x30 MET
DRAADEINDEN GEKLEMD.

80

INGESTORTE BUS
M 20 INWENDIG
R.V.S., VERANKERD
IN BETON. T.B.V.
R.V.S. LEUNING ⌀20

⌀20

R.V.S.   LEUNING

... IS AFH.
VAN PLEK.   30-80

PIEP SCHUIM OM
BETON TE SPAREN

ZIJ. AANZICHT

*Het pad van stapstenen*

*De cottagetuin, eerste versie*

*De cottagetuin, tweede versie*

*Zomer 2001,*
*kunstwerk: Henk Slomp, 'Hemelspiegels' 1998*

*Gezicht op de achterkant van het huis*
*en de cottagetuin*

*Het boomgaardje*

*Het notenlaantje*

*De 'Heksenmutsen'*

*De voortuin 2003*

varkens te rommelen, die als biggen kwamen en als ze zwaar genoeg waren het gastgezin weer verlieten. Het restant van het boerenbedrijf was uitsluitend bedoeld om Piet bezig te houden. Sjef was knecht bij een loonwerkersbedrijf en Rian was verpleeghulp in een verpleegtehuis in Eindhoven. Daar was natuurlijk helemaal niets mis mee, ware het niet, dat Sjef de gewoonte had om, ongetwijfeld tegen betaling, de spuitinstallatie van zijn baas 's avonds mee naar huis te nemen en op het land voor zijn en ons huis helemaal leeg te spuiten, zodat er de volgende dag weer wat anders in zou kunnen. Sjef had bij tijd en wijle last van kale plekken op zijn hoofd en zijn twee kindertjes speelden altijd in de zandbak in de voortuin, maar onze suggesties dat die spuiterij misschien toch niet erg gezond was, kwamen niet over. Onze voortuin was over een strook van vijftig meter diep altijd volledig onkruidvrij, en het lukte nooit om op de kant van de sloot leuke dingen als fluitenkruid (Anthriscus Sylvestris) te kweken.

We hadden het dus niet erg op dat met spuiten, maar echt storend was dat Sjef een lap grond achter zijn huis verpachtte aan een knecht van een tuinder, die op die lap haagbeuken ging kweken. De tuinderknecht en zijn vriendin, die altijd meehielp, waren buitengewoon vriendelijke mensen, die zelfs bereid waren om op ons verzoek onder de arbeid radio Paloma, het plaatselijke clandestiene radiostation, uit te laten. Een punt van een paar meter van die haagbeukjes, opgebonden aan bamboestokken, was net te zien in het belangrijkste stuk van ons uitzicht, waar het ging om een doorkijkje naar een paar boerderijen twee kilometer verderop, die onder Monumentenzorg waren verbouwd en die essentieel waren voor de diepte in het uitzicht. Sjef en zijn onderhuurder stonden natuurlijk volledig in hun recht, maar de tuinarchitect had die zichtlijn daar niet voor niets gelegd en de aanpassingen die wij aanbrachten waren geen verbeteringen.

Langzamerhand zagen het huis en de tuin er toch wel heel erg mooi uit. Als wij om de akker van Sjef, voor ons huis, heen liepen hadden wij een fraai overzicht. De voortuin en de oprit zagen er goed uit en de klimrozen Mme Caroline Testout en Mme Alfred Carrière deden het geweldig tegen het wit van het huis en naast het lichtblauw geverfde houtwerk. Zelfs Maria had het bij die aanblik niet meer over kitsch. Hoewel ik over het algemeen niet lijd aan overdreven onzekerheid of een minderwaardigheidscomplex, kreeg ik bij de aanblik echter steeds meer een onbestemd maar onaangenaam gevoel. Dat onprettige gevoel, dat ik ook krijg als ik in een net pak en een goede camel overjas in Rotterdam de metro van het Oostplein naar het Eendrachtsplein neem. Ons huis lag precies in het centrum van die dertien huizen en elk jaar werd het verschil tussen ons huis en de treurigheid er omheen groter. De Kempenaar is van nature niet agressief, maar ik maakte me geen illusies als het ging om de vraag of de Heikant ons huis als een sieraad voor de buurt zag of als steen des aanstoots.

Die onbehagelijke onbalans tussen ons huis en de buurt was niet de belangrijkste reden om ons steeds minder gelukkig met de situatie te voelen. Wat langzamerhand aan ons levensgeluk schortte was ook wel onder woorden te brengen en wij spraken er samen vaak over. Maar iets bespreken is nog iets anders dan iets oplossen, zeker als het gaat aan een aantal soms onvermijdelijke teleurstellingen.

Wij hadden altijd gedacht dat onze kinderen het in ons huis en onze tuin net zo geweldig zouden vinden als wij en dat zij heel vaak, liefst met schattige blonde kleinkindertjes, zouden komen logeren. Dat was natuurlijk heel naïef, onze kinderen studeerden in de grote stad, hadden in hun jeugd voor hun gevoel al een overdosis platteland moeten verwerken en hadden het gewoon te druk. Wij realiseerden ons natuurlijk wel dat wij in onze studententijd niet anders waren geweest. Een paar weken bij onze ouders thuis om voor een tentamen te werken was indertijd ook voor ons veel te veel van het goede, omdat dan na een paar dagen grote onrust ontstond als gevolg van het ondraaglijke gevoel dat er in de stad van alles gebeurde zonder dat wij er bij waren.

Wij waren het er ook over eens, dat onze conversatie langzamerhand wel wat onder het werken in de tuin begon te lijden. Wij realiseerden ons dat het voor anderen buitengewoon storend moest zijn dat wij het altijd over plantjes hadden, waarbij wij dan meestal de Latijnse namen gebruikten. Wij maakten er dan ook een punt van dit niet in het bijzijn van de kinderen te doen. Nu is een beperkte conversatie een vrij algemeen verschijnsel, een tante van Maria had het altijd over de Morele Herbewapening, ik ken een edelman die het alleen over de Nederlandse adel en de huzaren heeft en wij kennen hele volkstammen die het uitsluitend over golf hebben, maar toch.

Iedereen zei dat het met het bezoek van onze kinderen wel goed zou komen, als zij eenmaal op hun beurt kinderen hadden en er regelmatig kleinkinderen gedumpt moesten worden. Wij kregen echter steeds meer de overtuiging dat onze kinderen te lui waren om voor nageslacht te zorgen. Die overtuiging hadden wij ook nog toen wij later naar de Provence vertrokken. Vertrek naar het buitenland werkte echter erg stimulerend en binnen de kortste keren kregen wij drie schattige blonde kleindochters, zodat wij nu weer alle mogelijke moeite moeten doen het contact met hen op een voor ons bevredigend niveau te houden.

Ons echte probleem werd steeds meer wat nog het best omschreven kan worden als de rurale variant van Milan Kundera's *The unbearable lightness of being*, de ondraaglijke traagheid en trivialiteit van het leven op het platteland.

Natuurlijk waren wij de eerste jaren verrukt van het feit dat het leven op de Heikant ons deed denken aan het leven in onze kinderjaren, althans wat wij ons daarvan met behulp van oude zwart-wit Polygoonjournaals nog herinnerden. Maar toen wij doorkregen dat die achterlijkheid geen vrije keus was en die traagheid het gevolg was van het feit dat de mensen om ons heen gewoon geen hogere versnelling bezaten, begon de situatie ons behoorlijk te benauwen.

Nu was het zeker niet zo dat de jongere boeren zich vastklampten aan het leefpatroon van hun ouders. Ze konden aardig met hun personal computer overweg, lazen het vakblaadje van de boerenbond, hun vakanties gingen ook naar een Caraïbisch eiland, Sri Lanka of de Malediven en als je in het donker over de Heikant liep, was op elke bovenverdieping het blauwe schijnsel van de zonnebank waar te nemen. Maar omdat niemand een krant las, televisiekijken beperkt bleef tot spelletjesprogramma's, de Haagse kaasstolp net zo ver was als de maan en als ze nog naar de kerk gingen met Kerstmis dat slechts een poging was om een verouderd geloof krampachtig vast te houden, waren ze de aansluiting met wat er in de Randstad gebeurde allang kwijt. Bovendien, het gat bleef niet constant, maar door het verschil in tempo van leven werd het gat met het jaar beangstigend snel groter.

Dit Nederland van twee snelheden manifesteerde zich overal. De dorpstandarts vond het allang niet meer nodig te blijven investeren in nieuwe en betere apparatuur, waardoor op het platteland nog steeds kiezen getrokken worden, die in de stad met behulp van microscoop en kunststof zo opgelapt worden, dat ze nog jaren meekunnen. In de stad zijn er natuurlijk ook wel tandartsen bij wie de prioriteit niet ligt bij up-to-date apparatuur en vakkennis, maar daar is voldoende concurrentie, ook van commercieel opgezette groepspraktijken met jonge tandartsen, die wel met de modernste apparatuur en volgens de nieuwste inzichten kunnen werken.

Nog frusterender voor de burger is de afspraak, die huisartsen in de dorpen soms maken, om geen patiënten van elkaar over te nemen. Als, omdat het inwonertal van een dorp toeneemt, er een nieuwe arts bij moet komen en de dames en heren de markt onderling verdelen, kunnen er grote problemen ontstaan als na een tijdje blijkt dat de arts, aan wie men in de verdeling is toegewezen een enorme hork blijkt te zijn, die moeilijk gaat doen als men naar de vorige huisarts terug wil. In ons dorp speelde dat probleem gelukkig niet, omdat beide huisartsen even slecht waren. De oudste van de twee werd regelmatig opgenomen in een psychiatrische inrichting en dan werd zijn praktijk gerund door een bonte stoet waarnemers. Wij vonden het idee om een huisarts te hebben waarvan was vastgesteld dat hij gekker was dan de meeste van zijn patiënten toch een beetje eng, maar gelukkig had het lot ons aan de andere toegewezen. Die andere was een klein kereltje, dat voordat hij in ons dorp neerstreek, missie-arts was geweest ergens in Afrika. Daaraan had hij een gevaarlijke doe-het-zelf-mentaliteit overgehouden. Ook hadden wij de indruk dat de postbode, die hem zijn vakliteratuur had moeten brengen, de missiepost in het oerwoud niet altijd had kunnen vinden.

※

Daar kwam natuurlijk bij, dat ik zoals gezegd in Rotterdam was gaan werken en dat knaagde aan onze verstandhouding. Wij waren de tuin begonnen met als uitgangspunt om het ook helemaal samen te doen. Door mijn nieuwe functie was ik hoe dan ook toch de spelbreker, omdat die dagelijkse negentig kilometer vice versa in Nederland nu eenmaal ruim vier uur kost, tijd die niet in de tuin kon worden besteed. Niet dat mij daarover verwijten werden gemaakt, maar we konden natuurlijk niet om het feit heen. Ook was het niet zo, dat ik in de stad nu zoveel spannends beleefde, werk houdt je nu eenmaal behoorlijk van de straat, terwijl Maria veel meer las en televisie kon kijken dan ik, maar af en toe gebeurde er toch dingen, die op het platteland gewoon niet bestaan en in ieder geval zijn er in de stad mogelijkheden voor een interessanter leven voorhanden.

Als ik er nu over nadenk, was nog het meest verstorende, dat ik, na twee uur op de automatische piloot in de file, zo ontspannen was dat ik alleen nog maar dacht aan een Jack Daniels en niet aan een briljant discours, terwijl Maria de hele dag, als de werksters er die dag niet waren, het had moeten doen met de honden, de katten en de geit, en het dus wel eens ergens over wilde hebben.

De meest voor de hand liggende oplossing was natuurlijk een pied-à-terre in de stad, maar wij zaten met de beesten. Wij hebben altijd twee cocker spaniëls gehad, moeilijk opvoedbare honden, die gevaarlijk zijn met fietsers en trams. Bovendien was er zoals gezegd één vals, wat op het platteland dus wel praktisch is (hij deed ook altijd een uitval naar de huisarts, maar dat was begrijpelijk want een goede hond verdedigt zijn baasje), maar in de stad tot problemen met de vereniging van eigenaren en de politie leidt. Op dat moment hadden wij nog maar één kat, Proeltje, die al behoorlijk oud was en uitsluitend uit bloemenvazen dronk.

Het grootste en onoverkomelijke probleem was echter onze ouderwetse witte melkgeit Madame. Wij hadden haar tijdens een buurtfeest van Dries gekocht voor zeventig gulden, een bedrag waar de hele buurt schande van sprak. Dries had alleen maar koeien en dus geen idee wat je met geiten moest doen. Er bestaat ook niet zoiets als 'Geiten voor dummies', zodat wij te rade gingen bij Simon en Maria, die professioneel geiten hielden voor de melk. Ook zij konden ons niet vertellen hoe je van een lichtelijk neurotische geit een gezellig huisdier kon maken, maar zij raden aan Madame te voeren met half schapenbrokken, vanwege het koper dat zich daarin schijnt te bevinden, en half runderbrokken. Helaas geen goed advies, Madame had binnen de kortste keren het postuur van een flink kalf en werd verschrikkelijk sterk. Wij hadden een heel groot hondenhok met zo'n schuin puntdakje laten maken en overdag brachten wij haar naar een stuk wild gras onder de perenbomen. Dat was een arcadisch gezicht. Madame was erg ondeugend en probeerde altijd tijdens de dagelijkse tocht van nachthok naar geitenwei te onsnappen. Ik ben, zoals het een heer betaamt, één meter negentig en bijna honderd kilo, dus het lukte mij altijd wel in command te blijven, maar Maria heeft maat 38 en Madame greep dan ook regelmatig haar kans.

Bij een van die worstelingen ging Madame te ver en stapte op de voet van Maria. Onze huiskwakzalver vond het niet nodig een röntgenfoto te laten maken, zodat het even duurde voordat het duidelijk werd dat er een middenvoetsbeentje gebroken was. Onze vriend vertelde bij die gelegenheid over negers die hij vroeger dagelijks was tegengekomen en die zich zo aardig op blote voeten konden redden, iets waaraan wij als decadente westerlingen volgens hem best een voorbeeld zouden kunnen nemen.

Er zijn grenzen en Toon werd gevraagd Madame mee te nemen om een passend tehuis voor haar te zoeken, een kinderboerderij of zo. Toon beloofde Maria plechtig hiervoor te zorgen. Toon kennende, ben ik er toch niet helemaal gerust op dat Madame haar leven niet geëindigd is als een gigantische berg saté kambing.

Wij besloten één nacht in de week in een hotel in Rotterdam te gaan wonen en dachten dat van woensdag op donderdag wel een strategisch moment was. De beesten zouden het wel overleven, de honden konden in de bijkeuken, die ruim genoeg was. Zoals alle honden op het platteland, werden onze honden nooit uitgelaten. 's Morgens werden ze de keukendeur uitgestuurd en in- en uitlopen was verder de hele dag vrij. Het enige wat wij deden was bezoek op de mogelijke aanwezigheid van hondendrollen wijzen, maar alleen als er iets ons in de weg lag kwam ik met een spade in actie. Na de lange middag en nacht in die bijkeuken, lag er altijd wel wat troep op de grond en Maria vond het natuurlijk geen prettig idee bij thuiskomst zelf meteen aan de slag te moeten. Helaas zijn de verhoudingen op het platteland in deze tijden niet meer zo feodaal, dat dit klusje aan de werksters of Piet overgelaten kon worden.

Afgezien van dit ongemak, bleek ons plan ook nog andere complicaties met zich mee te brengen. De Nederlandse grote stad, in ieder geval Rotterdam, bleek niet voldoende cultureel vermaak te kunnen bieden. Slechts af en toe had de concertzaal of de schouwburg op woensdagavond iets fatsoenlijks te bieden. Wat toneel betreft zijn wij allebei van de generatie van voor de actie tomaat en hebben wij nooit kunnen wennen aan de fratsen en ongein van de moderne Nederlandse regisseurs. In London, bijvoorbeeld, kwam de hoofdrolspeelster van Noël Coward's 'Hayfever', een mevrouw die wekelijks op de televisie te bewonderen was als bewoonster van een nauwelijks te onderhouden kasteel, in de eerste scène op gekleed in een prachtige bloemetjesjurk, mét hoed en mand juist geplukte bloemen, met daaronder een paar rubber laarzen. Logisch, komisch en de toon van het stuk was meteen gezet. Maar in de Nederlandse schouwburgen komt een van de hoofdrolspelers van het stuk van R.W. Fassbinder 'Der Müll, die Stadt und der Tod', die erg bekend is als vertolker van Friese boerenknechten uit vervlogen tijden, op, slechts gekleed in een strakke knalronde zwembroek, met daarboven zijn blote pens en daaronder eveneens knalronde high heels. Op de repetities zullen de dames en heren toneelspelers zich ongetwijfeld bescheurd hebben, maar voor de bezoekers was het komische er na vijf seconden wel af en het verband met het toneelstuk bleef onduidelijk.

Een nog groter probleem dan het aantal voorstellingen van een beetje niveau, of zelfs maar enigszins verrassend, was de timing. Over het algemeen kan je in Nederland niet op één avond én fatsoenlijk eten én daarna wat gaan zien, met uitzondering van een sporadische nachtvoorstelling in de bioscoop. Een souper après le spectacle bestaat niet, als de keuken al na half elf open blijft, zit de gast ongeveer alleen of hebben de andere gasten en de kelners inmiddels de hoogte. Onze keuze bleef dus beperkt tot of behoorlijk eten en dan vroeg terug in het hotel of snel iets eten, iets zien en dan in elk geval weer voor twaalven terug zijn in het hotel.

Later vermaak in Rotterdam is er slechts voor passagierende zeelui; bovendien hadden wij op een vakantie eens een paar dagen in het beste hotel van Kaliningrad doorgebracht, waar het diner-spectacle bestond uit voorstellingen van Russische paaldanseressen, op een toneeltje in de eetzaal waarboven het televisiescherm continu het weerbericht van Wladiwostock tot St.Petersburg liet zien, zodat wij op hetzelfde moment konden eten, fraaie blote dames konden zien en ons laten informeren over het weer van de dag. Wij waren er van overtuigd, dat in Rotterdam niets daar tegenop kan.

Het bleek al snel, dat onze inspanningen ons faseverschil niet oploste. Nu kwam Maria aan het eind van de middag vol-

komen relaxed uit haar auto stappen, met het opgewekte gevoel de Heikant even achter zich te hebben gelaten, terwijl
ik nooit meer dan een half uur van bureau naar hotel nodig
had en dus nog niet totaal onthecht was. Na een half jaar vonden we allebei, dat dit het toch niet helemaal was. Na een
lange vakantie in Italië kwam het er eigenlijk nooit meer van,
zonder dat wij een goed alternatief hadden.

Het feit, dat ons plan om een keer per week samen in Rotterdam te bivakkeren geen succes geworden was, gaf ons allebei
een forse kater. Die zomer, toen alles in de tuin er prachtig
bij stond, zeiden wij regelmatig tegen elkaar dat het allemaal
toch wel heel erg mooi geworden was, maar toen de herfst
dat jaar vroeg inviel en het al in oktober begon te regenen,
voelde ik mij elke morgen bij het vertrek naar Rotterdam
meer dan lichtelijk schuldig. Ook vond ik het vervelend, toen
ik merkte dat ik steeds minder ging vertellen over wat ik die
dag in de stad beleefd had.

❧

Het jaar daarop begon Maria wat met haar gezondheid te
sukkelen. Of er een oorzakelijk verband was met de situatie
weet ik niet, maar dat zou natuurlijk heel goed kunnen. In
ieder geval was het ons niet helemaal duidelijk wat er wel aan
de hand was. Ik heb ooit eens aan twee bevriende artsen,
waarmee ik toen toevallig aan tafel zat, gevraagd of zij zelf
wel eens een collega-arts raadpleegden. Het antwoord was ja,
maar zij zeiden er wel bij er heel nauwkeurig voor te zorgen
alleen heel duidelijke ziektebeelden te noemen. Toen Maria
onze huiskwakzalver bezocht, ging het dan ook meteen fout,
maar na de gebruikelijke kleine kuurtjes, die natuurlijk niet
hielpen, kostte het toch nogal wat moeite om de man een ver-

wijsbrief te ontfutselen. Waarschijnlijk omdat hij niet precies wist wat hij schrijven moest en niet voor joker wilde staan.

Het ziekenhuis in de dichtstbijzijnde stad was trouwens ook geen vertrouwenwekkende instelling. Het was genoemd naar een rooms-katholieke heilige, die zoals te doen gebruikelijk heilig verklaard was na een aantal door het Vatikaan als wonder verkochte toevallige genezingen. Het werd als klap op de vuurpijl ook nog eens 'gasthuis' genoemd, waarschijnlijk omdat iedereen altijd uren voor niets van de gastvrijheid in de wachtkamers gebruik mocht maken. Maria was er wel eens geweest, voor een hernia, maar na twee mislukte operaties en het advies om maar met de pijn te leren leven (onder verwijzing naar het lijden van Christus en de paus van het moment), moest het academisch ziekenhuis in Nijmegen er aan te pas komen dit mechanische ongemak te repareren.

Daardoor hadden wij ons voorgenomen bij voorkomende gelegenheden niet meer zoveel geduld te hebben met de gevoeligheden en lange tenen van de medicijnmannen en onze eigen weg te zoeken. Een bevriende hoogleraar gaf mij de naam van een collega, een internist die er volgens hem best wat van kon en een afspraak, weliswaar voor over twee maanden, was snel gemaakt.

Omdat wij dus toch moesten wachten, leek het ons een goed idee de tijd met een lange vakantie in de binnenlanden van Spanje te doden. Dat leek onze huiskwakzalver ook prima, als wij maar voldoende aspirientjes en paracetamolletjes meenamen en als Maria niet vergat voldoende water tot zich te nemen. In Salamanca en Burgos ging het allemaal nog wel redelijk goed, maar in Cordoba begon Maria toch wel heel erg op te zwellen en begon ik hem te knijpen, omdat Maria heel erg gelaten werd, hetgeen absoluut niet in overeenstemming is met haar temperament.

147

Na een weekend in Villa Magna in Madrid zei ik dat ik het niet langer aandurfde en dat ik ging bellen. Bellen vanuit het buitenland maakt kennelijk indruk en mij werd verzekerd dat ik haar zodra wij in Nederland teruggekeerd waren in het academisch ziekenhuis van Rotterdam kon komen inleveren. De hooggeleerde internist bleek er gelukkig inderdaad wat van te kunnen en had in no time de 'reset knop' van Maria gevonden. Met een uitgekiend dieet, waarvan volkoren pannenkoeken een essentieel onderdeel bleken uit te maken en met een dagelijks handje medicijnen kwam het allemaal vrij snel weer in orde.

Omdat ons werd uitgelegd, dat het echt wel kantje boord was geweest en dat aanleg voor anorexia en regelmatig gebruik van alcohol, ook al liep dat zeker niet de spuigaten uit, geen goede combinatie vormden, waren wij allebei toch wel behoorlijk geschrokken en spraken af zo snel mogelijk een appartement in de stad te kopen. Ons paradijsje zouden wij dan alleen parttime, slechts als het goed weer was en als er in de stad niet iets leukers te doen was, bezoeken.

# Het parttime paradijs

Wij vonden al snel een appartement aan de rivier, met een uitzicht dat liep van de Van Brienenoordbrug tot voorbij de Erasmusbrug, tegen het centrum aan maar nog net Kralingen. Als wij uit het zijraam keken, zagen wij geen wrak van een roze Oldsmobile maar, op de zijkant van het vroegere Nedlloyd-gebouw dat nu als billboard gebruikt wordt, een l'Oréal reclame met Laetitia Casta. Dat gebouw was overigens ontworpen door onze goede vriend Q., die het er natuurlijk absoluut niet mee eens was, dat zijn creatie voor banale reclamedoeleinden werd misbruikt.

Niet dat er niets anders te krijgen was, maar de makelaar die de aankoop begeleidde en die een vriend van een goede vriend was, had uitgesproken ideeën over waar mensen zoals wij horen te wonen. Wij vonden en vinden een van de aantrekkelijkheden van Rotterdam, dat de stad zo enorm gekleurd is. Het onappetijtelijke wit waar wij al die jaren in de Kempen tegen aan hadden moeten kijken, hadden wij wel gezien. Onze makelaar echter, zag het als zijn taak ons voor misstappen te behoeden, zodat een leuk penthouse op de Kop van Zuid absoluut niet door de beugel kon.

Dat bij stom toeval ook een dubbele garage bij onze flat hoorde, was wel prettig omdat wij gewend waren thuis onze auto's nooit op slot te doen en het mij regelmatig overkwam, dat ik na een weekend mijn sleutels niet kon vinden, die dan altijd nog op het contactslot bleken te zitten.

Wij genoten al snel weer met volle teugen van het stadsleven en waren het er hartgrondig over eens, dat wij dit veel eerder overhoop hadden moeten halen. Het is zonneklaar dat de mensheid veel beter uit de schepping te voorschijn zou zijn gekomen als Adam en Eva niet definitief uit het paradijs waren verwijderd, maar als het design wat intelligenter was geweest en hun een passe-partout was gegeven, dat de mogelijkheid had opengelaten af en toe toch nog, voor maximaal honderdtachtig dagen per jaar, terug te gaan.

Ook omdat het een slechte zomer was, kwamen wij de eerste tijd eigenlijk alleen nog in de weekenden op de Heikant en het werd gelukkig al gauw duidelijk, dat de tuin en Piet de tuinman het ook heel aardig zonder ons rooiden. Pas tegen het volgende voorjaar begonnen wij weer onrustig te worden en uiteindelijk werd de tijd eerlijk tussen stad en platteland verdeeld.

Gelukkig vond ik ook vrij snel een alternatief voor het rikken. Een vroegere collega, die in zijn jonge jaren tot zijn contract afliep, beroepsofficier bij de cavalerie was geweest en erg tevreden was over het feit dat hij nog steeds reserve-ritmeester bij de huzaren van Sytzama was, vroeg of ik zin had ook lid te worden van de schietvereniging van de oud-mariniers. Hij was als fanatiek jager in het bezit van een goedgevulde gewerenkast, maar hij had, zoals hij zei: 'Toch wel behoefte aan ook nog een blaffer in huis.' Toen ik tegenwierp, dat je een hele hoop gezanik kreeg als je een inbreker, die je met een bijl aanviel, omlegde, zei hij dat dit reuze meeviel als er sprake was van noodweer en dat er altijd sprake was van noodweer als de inbreker een allochtoon was. Hij kende bij de schietvereniging wat mensen in het bestuur en voor een reserve-officier zoals hij en ik was natuurlijk overal en altijd plaats. Dat was ik hartgrondig met hem eens en ik had schieten altijd wel aardig gevonden. Wel had ik aan mijn diensttijd, als gevolg van dat streven naar akoestische bevrediging door het omgaan met handvuurwapens, een permanente suizing in mijn linkeroor overgehouden, waar volgens de knoarts niets aan te doen was en waar ik inmiddels ook wel weer zo aan gewend was geraakt, dat ik mijn suizing zou missen als hij ineens zou ophouden.

Na een jaar kreeg ik een wapenvergunning en kocht ik dus die Smith & Wesson en die Luger, een pistool waarmee ik overigens niet veel schiet omdat iedereen altijd loopt te mopperen, omdat het ding bij het gebruik zo extreem veel kabaal maakt en de lege hulzen alle kanten uitvliegen. Ik schiet uiteraard altijd met oorbeschermers op en het is waar dat ik nog iets extra's in mijn oren stop als ik met die Luger aan de gang ga.

Natuurlijk moet ik wel eens uitleggen, waarom ik zo'n rare hobby heb. Aparte of extreme hobby's hebben in het algemeen als consequentie, dat de omstanders denken 'Hij moet zo nodig'. Schieten met handvuurwapens lijkt een beetje op het spelen met modeltreintjes door volwassen mannen. Het is dan ook verstandig niet serieus op vragen over het waarom in te gaan. Als uitleg bevalt mij nog steeds het best om te vertellen, dat je voor schieten behalve wat gevoel en goede ogen, een vaste hand moet hebben en dat schieten met groot kaliber een goede methode is om uit te vinden of er al of niet sprake is van beverige handen als een eerste signaal van een naderende ouderdomskwaal.

※

Het duurde maanden voordat de buurt doorhad, dat wij niet meer permanent in ons huis woonden. Nu zijn Brabanders meestal niet al te direct, zodat niemand er naar vroeg en wij op het eerstvolgende buurtfeest van de gelegenheid gebruik maakten om zelf maar enige tekst en uitleg te geven.

Rotterdam had op de Heikant een niet al te beste reputatie. Het dorp herbergde geen gekleurde medemensen, behalve de eerder genoemde Thai en een Filippijnse, die door een al wat oudere gemeenteopzichter van een vakantie mee naar huis genomen was. Het feit dat bijna de helft van de Rotterdamse bevolking een kleurtje had was dan ook voor onze buurtjes haast niet te bevatten. Ook het feit dat er regelmatig iemand in Rotterdam om zeep geholpen werd en de talrijke psv-supporters in het dorp liever thuis bleven als tegen Feyenoord gespeeld werd, droeg bij aan het gevoel dat het daar absoluut niet pluis was.

Om de buurtgenoten niet teleur te stellen, vertelde ik die avond in geuren en kleuren van de dode zwerver, die de hond van de huismeester een paar weken daarvoor gevonden had in het bosje voor ons flatgebouw: hoe hij er uit gezien had, al helemaal grijs, hoe de politie de boel afgezet had en wat de mannen in witte pakken allemaal gedaan hadden. Het hele gezelschap vond het reuze interessant en iedereen geloofde ons onmiddellijk toen wij zeiden, dat wij natuurlijk niet voor ons plezier naar de grote stad waren gegaan, maar alleen omdat ik het te druk had om iedere dag uren in de file te staan.

De noodzaak om met de grootst mogelijke omzichtigheid met het onderwerp om te springen kwam, zoals iedereen weet, voort uit het algemene Brabantse minderwaardigheidscomplex ten opzichte van alles en iedereen, behalve Limburgers en de inboorlingen uit de missiegebieden. Een Parijzenaar, Amsterdammer en zelfs een Rotterdammer vertelt graag en liefst zo snel mogelijk, dat hij uit Parijs, Amsterdam of Rotterdam komt. Mijn wieg stond in Den Haag en als ik de kans krijg zeg ik, om mijn eruditie te demonstreren, met Couperus: 'Zo ik iets ben, ben ik een Hagenaar'. Zo niet de Brabander; zij lijden er onder dat zij soms Brabo's genoemd worden, achter hun rug uitgelachen worden om hun zachte g en over het feit dat zij het niet over 'mijn moeder' maar over 'ons moeder' hebben. Een Brabander zal niet gemakkelijk toegeven, dat hij in Reusel, Lage Mierde of Hoge Mierde geboren is en zelfs een succesvol Brabants politicus zal er in Den Haag constant aan herinnerd worden dat hij uit Oss komt.

Het was ons ook opgevallen, toen wij op de Heikant kwamen wonen, dat ons steeds gevraagd werd of wij wel 'ene goei'n aord' hadden. Nu kwam die vraag weer terug en moesten wij voortdurend herhalen, dat wij nog steeds 'ene goei'n aord' hadden op de Heikant, maar toch wat minder als wij in de file moesten staan. Men bleef toch wat wantrouwig, ook al omdat ik — overigens zonder succes — geprobeerd had dat kamperen bij de burger tegen te houden en tegen iedereen die het maar horen wilde, liep te mopperen over dat roze Oldsmobilewrak in ons uitzicht. De enige bij wie geen sprake was van een gewijzigde houding, was Leentje, die ook na de dood van Stan, rustig doorging met haar melkvee.

Op een zondagmiddag, het jaar daarop, toen het veel te warm was om op het terras te zitten, ging de telefoon en hoorde ik Maria zeggen:

'Dag Leentje.'

Vervolgens was Leentje kennelijk een hele tijd met een monoloog bezig, waarop Maria antwoordde:

'Ik zal het hem vragen, ik bel je zo terug.'

Tot mijn stomme verbazing bleek de vraag te zijn of ik wilde assisteren bij de keizersnee van een koe die van een kalf verlost moest worden. Haar zoon Jan was met zijn vriendjes de hort op en had voor de zekerheid zijn mobieltje maar thuis gelaten. De eerder voor assistentie voor de hand liggende buren waren er kennelijk ook niet en de veearts was al onderweg.

Nou moet ik toegeven, dat ik inderdaad de neiging heb mij niet te laten kennen, maar ik kon me toch nog voldoende herinneren van de geboorte van onze eigen kinderen om uit volle overtuiging te kunnen zeggen dat ik er niet over piekerde, dat ik niet zo dom was vroedvrouw te gaan spelen bij een koe en dat ik vond dat mannen die zeiden dat de geboorte van hun kinderen het mooiste was dat zij ooit hadden meegemaakt, niet goed snik waren.

Maria vond het allemaal reuze kinderachtig van me, trok een oud spijkerrokje en een T-shirt aan en verliet uiterst opgewekt het pand.

Drie uur later kwam ze terug met allemaal bloedspatten in haar gezicht, op haar benen en op alle andere plaatsen, die niet bedekt waren geweest door de van Leentje geleende jasschort. Ik kreeg uitgebreid verslag van het gebeuren, er bleek sprake geweest te zijn van een verschrikkelijk bloedbad, waarbij bij de koe een onwaarschijnlijk groot aantal lagen huid en vliezen waren doorgeknipt voordat het kalfje op zijn poten gezet kon worden. Ook de koe had het overleefd en de veearts scheen nu nog bezig te zijn het zaakje weer aan elkaar te naaien. De veearts bleek, zoals wel vaker in het dorp, een jolige Belg te wezen en Maria had Leentje en hem uitgenodigd een slokje te komen drinken ter ere van moeder en kind. Dat leek mij ook een heel erg goed idee, omdat ik langzamerhand door die hitte een enorme zin had gekregen in een glas Bollinger. Bovendien moest Leentje ook een beetje getroost worden, omdat het om een stiertje ging en de prijs van slachtkalveren dat jaar toevallig erg laag was.

Leentje vergat gelukkig niet de hele buurt uitgebreid verslag te doen van Maria's kranig optreden, waarbij iedereen de indruk kreeg dat de koe het alleen maar door Maria's inbreng kon navertellen, zodat onze gedeeltelijke desertie weer een beetje werd gecompenseerd.

Wij werden ook nog steeds voor de trouwerijen van die kinderen uit de buurt die nog gingen trouwen, uitgenodigd. Ook daar hadden de veranderingen inmiddels toegeslagen, maar op zich kon daar niet over gemopperd worden, want dat was bij onszelf natuurlijk ook gebeurd.

Ik vond, in navolging van mijn grootvader uit Enkhuizen, dat trouwerijen en begrafenissen thuis behoorden plaats te vinden. Wij hadden ons ook bij voorbaat verheugd op twee trouwerijen, die natuurlijk op prachtige zomerdagen bij ons in de tuin gehouden zouden kunnen worden en waarbij onze tuin het oogverblindend decor voor de festiviteiten zou vormen. Wij verheugden ons al bij voorbaat over alle complimenten die wij dan zonder enige twijfel over de tuin in ontvangst zouden kunnen nemen. Onze zoon en schoondochter voelden echter meer voor een spectaculair feest in Rotterdam, na officieel getrouwd te zijn in een zaaltje boven een café in Delfshaven. Onze dochter kreeg het alleen al van de gedachte aan een trouwerij en een witte bruidsjurk Spaans benauwd en liet het bij de aanschaf van een gecompliceerd contract bij een notaris, waarin na elk kind weer allerlei aanvullingen aangebracht moeten worden.

Op de Heikant werd nog wel getrouwd, voor de wet en voor de kerk, maar het feestgedruis kwam steeds meer onder invloed van Amerikaanse speelfilms te staan. Er werden geen cadeautjes meer meegebracht, ook de 'liste de mariage' raakte uit de mode en als in de film The Godfather stond de bruidegom in een wit of roze pak alleen nog maar enveloppen in ontvangst te nemen en in zijn binnenzak te proppen. Aan het eind van het feest werd de bruid, altijd een stevige Kempische boerendeerne, in een stoel omhoog geheven door vrienden van de bruidegom, om als klapstuk van de avond een rondje door de zaal te maken. De bruid zwaaide daarbij altijd boven haar hoofd met een corselet in het rond (het bruidsboeket hield de bruid zelf, dat werd gedroogd, maar het corselet werd aan de eerstvolgende bruid overgedaan). In afwijking van wat meestal in films is te zien, droegen de vrienden van de bruidegom bij dit ritueel overigens nooit een keppeltje.

❦

Het was niet door ons gedeeltelijk vertrek naar Rotterdam dat de verkoop op termijn van ons huis af en toe aan de orde kwam. Wel had ik inmiddels afgesproken dat ik nog drie jaar bestuursvoorzitter zou zijn en dat ik, zoals ik mij altijd had voorgenomen, op mijn zestigste zou stoppen. Wij konden dus over drie jaar met de rest van ons leven beginnen en wij waren dan niet meer aan Nederland gebonden.

De belangrijkste reden om aan wat anders te denken was echter ingegeven door het verontrustende feit dat de tuinen waardoor wij ons indertijd hadden laten inspireren, inmiddels niet meer bestonden. De eigenares van de tuin, die wij altijd het allermooist hadden gevonden en die qua grootte heel aardig met onze tuin te vergelijken was, was ermee gestopt en woonde in een appartement in een kasteeltje. Op de televisie hadden wij nog eens een reportage gezien van wat er van een andere toptuin was geworden: de vermoeid ogende vijftien jaar ouder geworden mevrouw keek heel erg vermoeid naar een eveneens vijftien jaar ouder geworden, als kegel gesnoeide, taxus. De taxus was inmiddels meer dan twee meter hoog, nog steeds perfect in model, maar was wel volkomen uit balans met de rest van de niet al te grote tuin.

Het was duidelijk dat het niet op te brengen was om een perfecte struik na meer dan vijftien jaar verzorging te rooien en te vervangen door een jonger model (hoewel dat bij mannen met een midlife crisis in vergelijkbare situaties toch wel eens voorkomt). In een Frans tuinboek hadden wij een reportage gezien van een Franse dame, die van een matig wijnkasteel met een verwaarloosde tuin een domaine met een topwijn en een toptuin had gemaakt. Op de vraag van de schrijver of haar kinderen haar passie deelden en te zijner tijd de boel zouden willen overnemen, had zij slechts geantwoord, dat haar man en haar kinderen haar liefhebbend 'la folle' noemden. Kortom, wij besloten het huis in de perfecte conditie te brengen voor het moment, dat wij zouden besluiten te vertrekken en de tuin 'af te maken'.

Het huis had een paar zwakke puntjes en er was hier en daar sprake van wat achterstallig onderhoud; het rieten dak moest nodig weer eens onder handen worden genomen en in een paar planken van het dak van het bakhuis zat weliswaar geen boktor, maar toch zeker wel houtworm.

Een ander probleem was de verwarming; in het hoofdhuis werd met olie gestookt en het bakhuis werd verwarmd met propaan. Daar was helemaal niets mis mee, ware het niet dat de olietank behoorlijk lekte, wat goed te ruiken was en waardoor bij verkoop geen schone grondverklaring zou kunnen worden afgegeven. Bovendien had een Haagse grappenmaker bedacht, dat over een paar jaar alle olietanks bovengronds zouden moeten staan in een soort betonnen lekbak. Er moest dus iets gebeuren. Inmiddels was het mogelijk geworden een aansluiting op het aardgasnet tot stand te brengen, maar daar hadden wij tot dat moment vanaf gezien omdat olie en propaan op zich heel goed voldeden, terwijl aardgas natuurlijk door de overheid als melkkoe gebruikt wordt, iets waar wij principieel liever niet aan mee willen werken.

Omdat sommige mensen nog steeds denken, dat in verbouwde boerderijen kou geleden wordt, besloten wij het zo flink aan te pakken, dat wij er te zijner tijd in een verkoopbrochure een nummertje van zouden kunnen maken. Het werden twee kloeke hoogrendements verwarmingsketels, die

door allerlei elektronica zowel om beurten als tegelijk teza-
men hun werk konden doen. Natuurlijk zou ik daar nooit zelf
opgekomen zijn, als het bedrijf waar ik werkte niet een paar
dochterondernemingen had gehad, die trachten dit soort
spulletjes aan de man te brengen. Er was ook nog een bedrijfje, geleid door een Willy Wortel, dat deed in zonnepane-
len, maar die dingen misstaan natuurlijk volkomen bij een
antieke boerderij, zodat wij de goede man teleur moesten
stellen.

Een heel ander punt was de keuken; in de keuken konden
zonder moeilijkheden maaltijden worden bereid, maar de inrichting was inmiddels volkomen gedateerd. Ook waren na
een kleine aardbeving hier en daar scheuren ontstaan, waardoor soms als het warmer werd mieren naar buiten kwamen.
Zelf waren wij er wel aan gewend, maar bij een verkoop zou
dat natuurlijk genadeloos tegen ons gebruikt worden.

Maria begon dus te schetsen en op millimeterpapier van alles
te tekenen. Bovendien wist zij van een tweemans bedrijfje in
de buurt, dat gewend was om na enig gesputter toch elke
wens, hoe ongebruikelijk ook, in iets concreets om te zetten.
Het resultaat was van een verbluffende schoonheid: blond es-
senhout, deurtjes en panelen in donkerblauw metallic en heel
erg veel roestvrij staal. Wij hebben er nog een aantal jaren
van genoten, maar de uiteindelijke koper van ons huis — die
van die latrelatie met zijn ex-echtgenote — zei het helaas helemaal niets. Dat gold trouwens ook voor onze gekoelde wijn-
kamer: hij mocht van de dokter niet meer drinken, omdat hij
daar agressief van scheen te worden, maar jagen mocht hij
nog wel en hij dacht dat het vertrek nog wel bruikbaar was
om door hem geschoten wild te laten besterven.

Het mag duidelijk zijn, dat ik bij gelegenheid van die verkoop, dus maar niet eens begonnen ben over een van mijn
heimelijke genoegens: het poetsen van schoenen. Wij lieten

ook het keukenblok in de bijkeuken vernieuwen en ik liet een lade maken met allemaal aparte vakjes voor de verschillende soorten schoensmeer, zodat de boel niet door elkaar kwam te liggen. Er was ook een apart vak voor de onderhoudsspullen van mijn golfschoenen; ik heb voor golf altijd drie paar brogues in de kleuren zwart, oxblood en wit. Omdat ik zweer bij leren zolen, ben ik wel genoodzaakt om, als het gras van de fairways vochtig is, na een rondje die zolen met leervet in de smeren om barsten te voorkomen. Die enkeling, met wie ik deze passie deel, gebruikt leervet van het merk 't Jagertje, maar ik beveel leather grease van Tana aan, omdat die ruikt zoals leervet behoort te ruiken.

Ik vind het helemaal niet erg om over te komen als lichtelijk neurotisch, maar het is toch beter om als er nog gewerkt moet worden de aberraties onder de pet te houden, omdat afwijkend gedrag meestal niet naar waarde wordt geschat. Ten slotte wordt het bij mensen van mijn generatie ook al vreemd gevonden dat ik mijn eigen overhemden strijk. Het helpt ook niet om te zeggen dat het alleen maar verstandig is om de dingen die echt belangrijk zijn, zelf te doen.

In dit verband, het viel me steeds vaker op dat er op de golfbaan vreemd naar me werd gekeken. Ik vroeg aan mijn oude vriend Gerard of hij ook iets geks aan me zag. Gerard heeft zelf zo'n trolley met een motortje en een accu en bovendien een erg mooi Lamborghini-petje, dat hij ergens in Italië heeft opgeduikeld. Gerard dacht dat je kon zien dat mijn spullen wel heel erg gedateerd waren, omdat behalve ik niemand meer met stokken van hout speelde. Onlangs heb ik dus toch maar een nieuwe set gekocht van het merk Nike, die er jammergenoeg nog steeds erg nieuw uitzien, maar die inderdaad de resultaten wel wat hebben helpen verbeteren, ter vervanging van de set van het merk Ram, die ik dertig jaar geleden kocht en die nu in Frankrijk staan naast de stokken, die ik in 1969 tweedehands op de kop heb getikt in de shop van Gleneagles.

Behalve die afgedankte golfstokken, dateerde ook de brouille met mijn ouders van dertig jaar terug. Het was inmiddels een bewezen feit dat beide kampen deze situatie wel aanstond. Niemand uit de naaste omgeving voelde zich nog geroepen tot een volkomen misplaatste poging tot vredestichten en nieuwe vrienden konden er altijd van weerhouden worden om zich er mee te gaan bemoeien.

Wij hadden de anderen dan ook dertig jaar niet meer gezien of gesproken en als ik er nog wel eens aan dacht, dan was het omdat ik mij afvroeg wat er zou gebeuren als een van de spelers zou gaan hemelen. Vooral het overlijden van mijn moeder kon binnen afzienbare tijd verwacht worden, omdat zij al geruime tijd in eenzame opsluiting werd gehouden door dr. Alzheimer.

Op zekere dag stak mijn secretaresse haar hoofd om de deur en zei met iets van nieuwsgierigheid in haar stem: 'Ik heb uw vader aan de telefoon.' Ik zei: 'Ja, geef maar', en toen ik hoorde dat het doorverbinden gelukt was: 'Ja.'

Een stem die mij na dertig jaar volkomen vreemd was vroeg: 'Met je vader, je moeder is vannacht overleden, wil je haar nog zien?'

Er volgde een diepe stilte, mijn vader was kennelijk niet van plan een nadere toelichting te geven en ik had niet de behoefte met een vraag allerlei verwijten uit te lokken. Ik liet het dan ook bij: 'Daar moet ik even over nadenken, ik bel u morgen terug.' Natuurlijk had ik niet echt bedenktijd nodig, maar een eenvoudig nee zou zeker een eigen leven gaan leiden en ik probeer altijd te voorkomen dat mijn reputatie van calvinistische bruutheid verder wordt versterkt. De volgende morgen belde een van mijn zusters al heel vroeg op om te horen hoe de vlag er bij stond. Dat gesprek was zeker niet vriendelijker maar duurde wel aanzienlijk langer.

De verhoudingen waren dus weer volkomen duidelijk en toen mijn vader een aantal jaren later zelf overleed, verliep de communicatie geheel via de notaris. Er was toen eigenlijk maar één probleem: in de nalatenschap van mijn vader bevonden zich een tweetal souvenirs van anderen dan mijn vader die ik graag in bezit zou krijgen. In de eerste plaats het officierssabel van oom Joost en in de tweede plaats het zakhorloge van het merk Jaeger-leCoultre, dat mijn grootvader van zijn personeel had gekregen, toen zijn zaak, die nog van zijn grootvader was geweest, honderd jaar en 'koninklijk' was geworden. Toen ik dat horloge voor het eerst zag — ik moet toen een jaar of dertien geweest zijn—was ik er van overtuigd dat dit horloge vroeg of laat wel aan mij zou toevallen, hoewel er op dat moment in ieder geval nog vijf wachtende ooms voor mij waren.

Ik was bovendien net heel erg enthousiast over zakhorloges geworden, omdat ik kort daarvoor de biografie van Roy Jenkins over Winston Churchill had gelezen en daarin staan vele foto's van de staatsman met een horlogeketting over zijn forse buik. Het aardige van die ketting van Winston C. was vooral, dat die schakels had, die deden denken aan de schakels van de ketting die vroeger de trekker met de hefboom van het reservoir van de plee verbond. Aanvankelijk zagen mijn zusters geen enkele reden om mij ter wille te zijn, maar omdat een van hen zonder mijn noodzakelijke instemming het huis van mijn vader inmiddels had verkocht, zal de notaris hun ongetwijfeld uitgelegd hebben dat het onvermijdelijk was mij toch maar mijn zin te geven.

Ik draag het horloge af en toe. Ik heb ook een ketting laten maken met schakels die niet onderdoen aan die op de embonpoint van de wereldleider, maar die ketting heb ik pas één keer, toen ik in een pompeuze bui was, durven dragen.

Wij waren altijd al van plan geweest nog iets leuks te doen met het gedeelte van de tuin dat direct aansloot bij het terras van het hoofdhuis. Het ging om een stuk gras van een kleine duizend vierkante meter, dat omzoomd werd, links door een reepje bos en een muurtje, dan een schuurtje en een lang houten hek, dat op een bepaald moment een rechte hoek maakte richting bakhuis, met daarin een poortje naar het tuintje achter dat bakhuis. Het idee was om in dit besloten gedeelte een 'cottage'tuin te maken, geheel in lijn met de filosofie van de tuin. Er stond nog niet veel, tegen de witte muur van het bakhuis wat enkelbloemige stokrozen, Alcea, de roos Mutabilis, een paar Mrs. John Laing en een onbestemde hydrangea, waarvoor het daar eigenlijk veel te droog was. Een paar meter van het bakhuis stonden bovendien die twee volwassen Populus nigra, die het voordeel hadden, dat zij al behoorlijk wat schaduw gaven. Het nadeel was echter, dat zij erg veel water aan de grond onttrokken.

Het schuurtje stond op de plaats waar onze voorganger de buitenkooi voor zijn twee Rotweilers had gehad. Wij hadden natuurlijk wel behoefte aan een goed schuurtje en bovendien wilden wij het (gewoonte)recht op deze bestaande bebouwing in het buitengebied niet verliezen. De kooi werd dus afgebroken en op het fundament van tien bij vier meter kwam een houten gebouwtje, dat voor een derde een werkplaatsje werd. Ik had in Amsterdam ergens een oud Godin-kacheltje gekocht; in België was het niet moeilijk een kolenkit en een flinke voorraad eierkolen op de kop te tikken. Het stond leuk, maar om een regelmatige temperatuur te krijgen moest heel wat gedaan worden, zoals ik mij trouwens nog van vroeger herinnerde, toen mijn eerste studentenkamer in een souterrain aan de Van Baerlestraat in Amsterdam met zo'n ding was uitgerust. Een ander derde deel werd de bergplaats voor de tuinmachines en het gedeelte, dat het dichtst bij het huis lag, werd een overdekt terras, met een rond metalen tafeltje en een paar oude bistrostoeltjes. Niemand heeft er ooit gezeten, maar het was een leuk gezicht vanaf het terras van het hoofdhuis.

Eén keer per jaar zette ik het geheel eigenhandig in de carbolineum, waardoor, om een mooi zwarte kleur te krijgen, een blikje koolteer was gemengd. Op het dak van het schuurtje lagen dezelfde oud-Hollandse pannen als op het bakhuis, evenals op een stuk van het dak van het hoofdhuis, aan de achterkant, dat gedeeltelijk niet met riet gedekt was. Op de hoek van het overdekte terras stond tegen de pilaar een New Dawn, die al zo groot was dat hij ook een stuk van het dak bedekte. Zoals iedereen weet is New Dawn een uitstekende, vrijwel doorbloeiende, klimroos, die nauwelijks gevoelig is voor de bekende rozenkwaaltjes. Wij waren het er over eens, dat in elk geval dit deel van de cottagetuin helemaal gelukt was.

Wij hadden in de voorafgaande jaren wel eens wat geëxperimenteerd met borders in wat nu de cottagetuin moest worden. Die borders waren echter nooit geworden wat wij bedoelden, omdat wij ze niet te hoog wilden maken, aangezien het karakter van een boerentuintje vlak bij huis bewaard moest blijven. Daardoor bleven ze te plat en te iel voor het net iets te grote stuk grond. Maria kwam met het idee in het midden van het stuk een hele grote cirkelvormige border te maken, met een middellijn van twintig meter. Er werd een klinkerpad aangelegd van de keukendeur naar het houten hek, op de belangrijkste zichtlijn van de tuin en tevens een pad van twintig meter daar haaks op, die elkaar in het middelpunt van de cirkel sneden. Op het middelpunt kwam een forse sokkel met een vaas, waarin wij elk jaar Helichrysum plantten, uiteraard niet voor de gele bloemetjes, maar voor het grijze blad. In die sokkel werd een plaquette gemetseld, van Belgisch hardsteen, met daarop een hoorn des overvloeds en daarin gehakt onze initialen en het jaartal 1988, het jaar waarin wij met de tuin begonnen waren. Natuurlijk was dit niets voor een specialist in grafzerken, maar het lukte een leraar aan de Rotterdamse kunstacademie voor het klusje te strikken. Wij hadden gevraagd om de hoorn des overvloeds te vullen met uitsluitend inheemse vruchten, maar helaas kwam er ook een ananas uitrollen; de steenhouwer was weliswaar een geboren Rotterdammer, maar had toch best kunnen weten dat ananassen uitsluitend in de tropen groeien.

De omtrek van de cirkel kreeg een buxushaagje en zo ontstonden vier forse kwadranten om te beplanten. Zoals gezegd wilden wij de beplanting laag houden, zodat het houten hek om de cottagetuin zichtbaar zou blijven. Uiteraard hoort niet elke plant in een dergelijke tuin thuis en als kleuren zou het voornamelijk wit en roze moeten worden, met een beetje donkerblauw en een heel klein beetje lemon, citroengeel. Verder lag het natuurlijk voor de hand gebruik te maken van de mogelijkheden tot symmetrie, die vier kwadranten nu eenmaal bieden. Uiteindelijk werd in de loop der jaren verschrikkelijk veel geplant, herplant en ook weer vervangen:

- Veel salvia's, voornamelijk
  officinalis 'Albiflora'
  officinalis 'Purpurascens'
  officinalis 'Icterina'
  nemorosa 'Schneehügel'
  nemorosa 'Ostfriesland'
  sclarea 'Alba'
  sclarea var. 'Turkestanica'

- Een aantal lavatera's
  Maritima
  Arborea 'Barnsley'
  Cachemiriana 'Ice Cool'
- Heel veel campanula's
  Alliariifolia
  Carpatica 'Alba'
  Carpatica 'Karpatenkrone'
  Glomerata 'Schneekrone'
  Lactiflora 'Alba'
  Lactiflora 'Prichard's Variety'
  Latifolia 'Alba'
  Persicifolia 'Alba'
  Pyramidalis 'Alba'
  Sarmatica
  Trachelium 'Alba'
  Trachelium 'Van Houttei'
- Omdat ik verslaafd ben aan kruisbessen een paar Ribes
  uva-crispa
  Achilles
  Whinham's Industry
  Whitesmith
- En verder planten als
  Aconitum carmichaelii 'Eleonora'
  Astrantia major 'Alba'
  Astrantia major 'Shaggi'
  Bergenia agavifilia 'Bressingham White'
  Dicentra spectabilis 'Alba'
  Lupinus sericeus 'The Governor'
  Malva moschate 'Alba'
  Papaver orientale 'Perry's White'
  Phlomis samia
  Phlox paniculata 'Pax'
  Verbena 'Pink Parfait'

Het resultaat was verbluffend en wij waren erg gelukkig; het werd een heel goede zomer en eind juni stond de cirkel in volle glorie. Wel moet gezegd worden dat planten die erg in de smaak vallen bij konijnen, zoals zeekool, Crambe maritima en oostindische kers, Tropaeolum, helaas afvielen, omdat onze honden door hun veelvuldig verblijf in Rotterdam, ook hún geloofwaardigheid bij de konijnen van de Heikant goeddeels waren verloren. De konijnen kwamen tot het huis en keken zelfs af en toe brutaal door de ruiten naar binnen.

Wij hebben altijd fotoalbums van de tuinen bijgehouden en die van de eerste jaren van de cirkel zijn in onze ogen ook nu nog heel erg fraai.

Helaas heeft schoonheid haar prijs en het bleek dat het op deze wijze inrichten van de cirkel buitengewoon veel werk opleverde, dat niet aan Piet overgelaten kon worden, omdat als niet bekend is wat er staat en wat in het voorjaar uit de grond moet komen de gecompliceerde beplanting niet in stand zou kunnen worden gehouden.

Met spijt besloten wij de cirkel veel meer te bestraten en daarin een behoorlijk aantal vakken open te laten. Dat bleek heel wat beter hanteerbaar te zijn, bovendien stonden onze vijf terracotta rabarbertrekpotten (rhubard forcers) heel natuurlijk ergens op een bestraat stuk. In die tijd waren ook grassen in de mode gekomen, zoals pijpestrootje, Molina caerulea en een stel andere, die ook allemaal op tarwe, haver, rogge en gerst leken.

Toen de cirkel nieuwe stijl naar onze zin was, bleven we toch een beetje spijt houden, weliswaar was het resultaat erg krachtig en zeker à la mode, maar toch ook wel een beetje gelikt en misten we het charmante naïeve van de eerste opzet.

Niet alleen grassen waren in de mode gekomen, dat was ook en eigenlijk al eerder het geval met oude rozensoorten. Er kwamen steeds meer boeken over antieke rozen en steeds meer kwekers namen ze in hun assortiment op. Daarnaast kwamen de David Austin of English roses beschikbaar, nieuw gekweekte rozen, die er uit zagen als de oude soorten, maar meestal doorbloeiend of herhaald bloeiend waren. Wij hadden natuurlijk ruimte genoeg om van alles te proberen, de grond waar de rozen moesten staan te verbeteren, te mesten met oude stalmest en te ontdekken dat kunstmest net zo goed, zo niet beter werkt en niet stinkt.

Bovendien hielpen high tech bestrijdingsmiddelen zoals Ambush en Rubrigan prima tegen luis en schimmel; ik maakte twee of drie keer per jaar, in het voorjaar, een cocktail en dat was meestal wel afdoende.

Het was een beetje mijn hobby, want Maria vindt dat gedoe over rozen eigenlijk maar getrut, en ik heb zeker geprobeerd er wat moois van te maken. Helaas lukte het maar in een gedeelte van de gevallen te komen tot mooie, volle struiken. Voor wat betreft struikrozen ben ik aan de gang geweest met van alles en nog wat. Om enkele te noemen van de soorten die het niet, of in ieder geval bij ons niet goed, deden:

Mme Pierre Ogier
Mme Hardy
Fantin Latour
De Meaux

En de Davis Austin rozen:
Abraham Derby
Bredon
Leander
Country Living
Graham Thomas

Ik ben best bereid de hand in eigen boezem te steken, ook kan het Nederlandse klimaat wel eens niet meewerken, maar ik kan mij toch niet aan de indruk onttrekken, dat er bij de kwekers soms sprake is van doorfokken en haastwerk.

Van de David Austin rozen waren eigenlijk alleen Gleamish Castle, Golden Wings en Financial Times een succes. Gleamish Castles is overigens absoluut niet beter dan de alom bekende Schneewittchen, Golden Wings vonden wij wel heel aardig omdat de knoppen geel waren, die na open gegaan te zijn bloemblaadjes opleverden die langzaam verschoten naar wit. De roos Financial Times had natuurlijk een belachelijke naam, maar hij was roze (blush), met een leuk, goed zichtbaar groen hartje en leek een beetje op de Gallica roos Duchesse de Montebello.

Om een of andere reden hadden wij veel meer succes met klimrozen. Madame Caroline Testout, Constance Spry, Madame Alfred Carrière, Deprez à fleurs Jaune, Paul Lédé en vooral met de Davis Austin klimroos Shropshire Lass, die over een boogje tussen de cottagetuin en het tuintje achter het bakhuis groeide en elk jaar uitbundig bloeide.

Dat gold ook voor Gloire de Dijon, die alleen vanwege de kleur wat moeilijk met andere klimrozen te combineren valt en zeker niet kan tegen een witte muur. Pech hadden wij dus met Paul's Lemon Pillar, die de kleuren van een blauw-witte border tegen het hek had moeten onderstrepen. Het eerste exemplaar deed het goed, maar dat sneuvelde in een heel natte winter en toen wij het huis verlieten was net het vierde exemplaar geplant.

Gelukkig werd een minderwaardigheidscomplex voorkomen door de uitbundige groei en bloei van onze verzameling ramblers. Om te zorgen dat onze honden niet weg zouden lopen, onder een auto zouden komen of vreemdelingen zouden aanvallen, hadden wij het terrein, behalve het voorste gedeelte, omheind. Tegen dat hek begonnen onmiddellijk spontaan bramen te groeien, die wij hier en daar vervingen door ramblers; witte als:

Bobbie James
Rambling Rector
Seagull
Francis E. Lester
Wedding Day
Sander's White

En ook een Félicité en Perpétué, met roze knoppen en tevens twee Kew Ramblers, die donker roze zijn. Verder een Paul's Himalayan Musk en een Blush Noisette. Ramblers vereisen weinig onderhoud, alleen een wat al te uitbundige twijg moest af en toe weggesnoeid worden.

De combinatie met bramen gaf ook geen problemen. Af en toe werden zij met de bosmaaier bij de grond afgemaaid, waarna ze vanzelf weer aangroeiden. Bramen geven alleen vrij veel afval en rommel, maar gelukkig had de profeet Mozes al ontdekt, dat braambossen heel goed branden.

Waar ook echt wat aan gedaan moest worden, was het ven, het ven zelf en de oevers. Behalve het plaatsen van die stapstenen, wat natuurlijk niet niks was geweest, waren wij niet verder gekomen dan het planten van drie Taxodium Disticum, twee groepjes berken en een groepje Rododendrons de kant. In het water hadden wij drie waterlelies (Nymphea alba en twee Hollandia's)geplant, die al aardig groot geworden waren.

Het ven viel overigens nooit droog, omdat wij in het midden door de leemlaag heen tot de zandlaag daaronder hadden laten graven. Onze tuin lag in het dal van de beek de Reusel, waar altijd, ook in heel droge perioden, water in stond, zo ook in het ven. In het begin leverde dat soms vochtproblemen in het bakhuis op, maar toen wij tegelijk met het plaatsen van de stapstenen ook een overloop naar de sloot, met een kloeke schuifafsluiter, lieten aanbrengen, waren die verleden tijd. Het water van het ven kon nu niet hoger meer komen dan een kleine halve meter onder de rand van het ven, maar de laagste stand was in de praktijk toch zeker een volle meter lager. Dat kleinere niveauverschil maakte het probleem van de beplanting er overigens wel eenvoudiger op.

In de Kempen doen nogal wat oude verhalen de ronde over poelen, die broedplaatsen van muggen zijn en wij voelden natuurlijk niets voor een stinkend ven vol bedorven water. We begonnen maar eens met het uitzetten van flink wat watervlooien, slakken en een paar emmers met waterpest, Elodea. Het water bleef aardig schoon, maar de tweede zomer begonnen onze kinderen al te mopperen over al die kikkers, die ze bij het zwemmen in het ven tegen kwamen. Zoveel dat er de derde zomer al niet meer gezwommen werd. Op warme voorjaars- en zomeravonden was het kikkerconcert oorverdovend en de oudere boeren, die zich niet meer konden herinneren hoelang zij dit geluid al niet meer gehoord hadden, bleken toch wel blij te zijn dat de kikkers weer teruggekomen waren. Maria en ik herinnerden ons iets anders: de tweede plaag (Exodus 8 vers 1 tot 15) de kikvorschen die Egypte overspoelden! Net toen wij ons afvroegen of wij nu karpers of zo moesten uitzetten, herstelde de natuur zelf haar evenwicht door een reiger te sturen, die de hele dag lui op een boompje aan de rand van het ven zat en de bruine en groene kikkerpopulatie in toom hield.

Inmiddels was het ven zo volgegroeid met waterplanten, dat er nodig een grote schoonmaak gehouden moest worden. Van alles was er veel te veel, zelfs van de toch vrij zeldzame

Typha major, die net als wij een voorkeur voor de stapstenen hadden, zodat er vanwege het effect van die stenen, jaarlijks nogal wat uitgestoken moesten worden. Na veel aarzelen bleek er toch niets anders op de zitten dan een kraan te huren en de randen van het ven een keer grondig af te graven; helaas overleefden twee van de drie Nymphea deze brute ingreep niet. Het gaf wel de kans iets meer met Nymphea te doen en wij plantten nog twee Hollandia's en twee keer twee Maliacea Carnea en Chromatella, die bij elkaar best een aardige en gevarieerde aanblik opleverden.

Wij schaamden ons een beetje dat wij het zo uit de hand hadden laten lopen en ik nam mij voor elk jaar de waterplanten flink uit te dunnen. Omdat ik er weinig puf in had met een zwembroek aan en op blote voeten flink te gaan lopen doen, kocht ik in London een wader, zo'n rubber hansop. Het ding voldeed in zoverre, dat het voldoende privacy bij het werken tussen de waterpest en andere waterplanten gaf, maar ik kreeg het er altijd enorm warm in. Bovendien zag ik niet één twee drie hoe ik, als ik zou struikelen en de wader zou vollopen, de verdrinkingsdood zou kunnen ontlopen. De eerste keer, toen ik mij aan Maria in mijn nieuwe aanwinst toonde, kreeg zij de slappe lach. Toen zij na een tijdje uitgelachen was, herinnerde ze mij aan onze vriendin Liesbeth, die altijd zei dat tuinieren met handschoenen aan zoiets was als vrijen met een condoom. Ze dacht dat Liesbeth nog wel iets veel leukers zou weten te zeggen over die wader. Uiteindelijk kreeg ik Piet zover, dat hij tegen een bonus het werkje wel wilde doen.

Wij plantten drie flinke stroken met groot hoefblad, Petasites hybridus, die uiteindelijk, toen zij eenmaal aangeslagen waren, de oever een heel ander aanzicht zouden geven. Om nog wat extra diepte in het stuk achter het eilandje aan te brengen werden drie plukken Sambucus gezet: de canadensis maxima, nigra 'Guincho purple' en sieboldii. Dit om te kijken wat het beste beviel, hetgeen we overigens niet meer hebben meegemaakt.

Met ruime hand werd allerlei zaad uitgestrooid en vooral veel fluitekruid, Digitalis purpurea (alba) en Giant Spotted Group in de hoop dat dit het in de beschermde omgeving van het ven, buiten bereik van de spuitinstallatie van Sjef, een goede kans zou hebben.

In de Kempen staat op veel plaatsen in het wild Polygonum, dat het overal geweldig doet. Omdat die wilde planten wat te groot waren, plantten wij Polygonum weyrichii en Polygonum atrosanguineum (alba). Het spul sloeg allemaal voorspoedig aan en het moet inmiddels een fraai gezicht zijn, als de uitleg die ik Piet, toen wij het huis verlieten, nogmaals gaf, bij hem niet het ene oor in en het andere weer uit gegaan is.

Sedert de oudheid staan in elke tuin met pretenties beelden en het zou natuurlijk ongeloofwaardig zijn geweest als wij ons aan dat gebruik zouden hebben willen onttrekken. Als beelden in een tuin goed gebruikt worden, gaat het eigenlijk altijd om verfraaiing en ondersteuning van het ontwerp. Natuurlijk was dat bij ons niet anders: het ging ons om ondersteuning van het thema, de opnieuw uitgevonden boerentuin. Omdat, zeker in het begin, gasten die niet direct geïnteresseerd waren in tuinen, de neiging hadden bij het houten hek van de cottagetuin te blijven staan, uit beleefdheid een blik op de rest te werpen, om het er vervolgens maar bij te laten en rechtsomkeert te maken, zochten wij ook een paar beelden, die zo intrigerend waren dat zij die gasten verder de tuin in zouden lokken.

Het ging ons zeker niet om het maken van een beeldentuin, beelden in de open lucht, waarbij het struweel uitsluitend dient ter omlijsting. De meeste beelden, trouwens, die bij galerieën en commerciële beeldentuinen buiten staan, zouden binnen misschien beter tot hun recht komen. In ieder geval speelt de natuur meestal geen ondersteunende rol, uitzonderingen zoals de tuin van het Kröller-Müller museum of die van Fondation Maeght, daargelaten. Het beste bewijs in Nederland van deze stelling is wellicht het land-art object 'Planet circle'van Richard Long in Museum de Pont, een cirkel van Franse kalksteen, die in die ruimte optimaal tot zijn recht komt. In een particuliere beeldentuin in de buurt van Den Haag zagen wij eens een vergelijkbaar object van Long, ook een cirkel van Franse kalksteen, dat er in de daar gekozen omgeving uitzag of iemand tot de conclusie was gekomen, dat rotstuintjes echt niet meer konden, om vervolgens de stenen maar in het bos te dumpen.

Omdat die miskoop van dat Perzische tapijt ons nog vers in het geheugen lag en wij zeker geen zin hadden in een kostbare herhaling, leek het mij een goed idee om een zekere Klaasje eens om advies te gaan vragen. Klaas was een handelaar in bulkproducten, die daar nogal rijk mee geworden was en die een gedeelte van zijn verdiende centjes in een kunstverzameling had gestoken. Hij was klein van stuk en had een aparte manier van zakendoen. Niemand had hem ooit in iets anders gezien dan in een heel donker, bijna zwart, pak en een wit overhemd. Een beetje zoals bij The Blues Brothers of, voor de liefhebbers van Maarten Toonder, Hiep Hieper, de maat van Bul Super. Ook liet Klaasje zich altijd vervoeren in een taxikleurige, dikke Mercedes, die zo groot was dat iedereen altijd twee keer moest kijken of hij wel op de achterbank zat. Ik kende hem uit het bestuur van een werkgeversvereniging, waarvan de voorzitter, een Belg, het overigens altijd had over 'le petit Nicolas', maar die kende natuurlijk het Franse boekje van René Goscinny met die titel.

Regelmatig waren er op thematische tentoonstellingen in het land ook werken uit de verzameling van Klaasje te zien. De kwaliteit daarvan was wisselend, vaak heel goede stukken van jonge en nog levende kunstenaars, waaruit bleek dat hij, of althans diegenen die voor hem inkochten, een goede neus hadden. Het werk van inmiddels overleden coryfeeën was meestal minder, hetgeen ongetwijfeld kwam omdat de top-werken hun weg naar musea en andere particuliere verzamelingen al eerder hadden gevonden, terwijl het zeker was dat Klaasje niet van duur inkopen hield.

Maria vindt dat uit een verzameling de smaak en de interesses van de collectioneur duidelijk naar voren hoort te komen en zij kan zich niet voorstellen dat een verzamelaar niet elke gelegenheid zal aangrijpen om met ieder die het maar horen wilde over zijn passie te praten, zoals een gepassioneerd tuinierder het niet kan laten over zijn tuin te praten. Dat was nu het probleem, Klaasje zei als hij de kans kreeg wel heel veel, maar die woordenvloed was vrijwel nooit verhelderend. Als hij eens geïnterviewd werd, kon de journalist er meestal ook nooit een touw aan vast knopen en bleef het bij een aantal anekdotes en de conclusie dat hier sprake was van een enigma. Een ongevaarlijke conclusie omdat toch vrijwel niemand weet wat een enigma is.

Het was dus duidelijk dat Maria weinig zag in mijn plan om advies te vragen, gegeven haar dédain voor commerciële lieden in het algemeen en Klaasje in het bijzonder. Zij vond de verzameling van Klaasje nog het meest lijken op een handelsvoorraad, zoals de beruchte collectie Goudstikker. Ik wierp tegen dat ik er nog nooit van gehoord had, dat Klaasje ook wel eens wat verkocht, anderzijds moest ik ook wel toegeven, dat galeriehouders, waarmee wij bevriend waren, altijd steen en been klaagden over de vakkundige maar hardhandige wijze waarop Klaasje hen van hun marge plachtte te beroven.

De werkgeversvereniging waarvan ik hem kende, diende, zoals alle werkgeversverenigingen, niet om de belangen van de leden te behartigen, zoals het officieel pleegt te heten, want de leden kunnen uitstekend voor zichzelf zorgen, maar in werkelijkheid gaat het er altijd om de overheid scherp in de gaten te houden. Voor de gemiddelde ondernemer is de overheid een reusachtig perpetuum mobile, waarin geld rondgepompt wordt. Niemand weet waarvoor de installatie precies dient of hoe hij werkt: er gaat belastinggeld in en er komt af en toe een beetje subsidie of een opdracht uit, maar verder is het een black box en onderhoudt het systeem uitsluitend zichzelf. De ondernemer heeft daar overigens geen enkel probleem mee, hij ziet de overheid als een gegeven, als een natuurverschijnsel. Hij wil eigenlijk alleen maar tijdig gewaarschuwd worden als er iets in zijn nadeel verandert, zodat hij, als dat mogelijk is, zijn maatregelen kan nemen. Elke werkgeversvereniging heeft een secretariaat dat die waakhondfunctie daadwerkelijk uitoefent en regelmatig zijn er dan, als het niet anders kan, vergaderingen, maar bij voorkeur diners waar die secretaris tussen de gangen door verslag uit kan brengen. Bij dat soort diners placht ik Klaasje af en toe tegen het lijf te lopen.

Nu was Klaasje dus zeker iemand met oratorische gaven, zozeer zelfs, dat als hij eenmaal het woord had het moeilijk was hem dat weer te ontnemen. Dat gaf wel eens problemen, omdat Klaasje er geen enkele moeite mee had zich niet aan het onderwerp te houden of, als hem dat op dat moment beter paste, niet eens aan het aan de orde zijnde onderwerp te beginnen, maar over iets anders, waarover hij ook immer een uitgesproken mening had.

Zo was het mij een paar jaar eerder eens overkomen, dat ik naar een bijeenkomst ging, waar Klaasje zou spreken over een praktisch probleem, dat mij interesseerde. Tot ieders verbijstering maakte Klaasje echter nog geen drie woorden vuil over het afgesproken onderwerp, om de tijd verder geheel vol te praten over het onderwerp 'auto met chauffeur'. Op een enkeling na, die een auto met chauffeur had en wist hoe dat werkte, had niemand enige affiniteit met deze secundaire arbeidsvoorwaarde, zodat iedereen, na van de verbazing te zijn bekomen, zich in het ootje genomen voelde, ook al omdat de leiding van de bijeenkomst overduidelijk, omdat zij Klaasje wel kenden, niet al te veel moeite deed Klaasje van zijn preoccupatie van de dag af te helpen, omdat dat toch vergeefse moeite zou zijn.

Ik besloot om eens voorzichtig te proberen hem tot een gesprek over kunst in het algemeen te verleiden, om dan volgens de beproefde methode van Abraham Kuyper geruisloos op het onderwerp beelden in de tuin over te gaan, door te beginnen over iets waarvan ik dacht, dat hij de verleiding om te reageren niet zou kunnen weerstaan.

Ik was wel eens op zijn kantoor geweest waar een mooi stilleven hing van Jan Sluijters en een landschap van Ferdinand Hart Nibbrig, wiens werk ik altijd graag zie. Wat mij echter nogal verbaasde, was de ereplaats voor een fors schilderij van ene Dirk Smorenberg, een schilder uit de eerste helft van de vorige eeuw, die ansichtkaartachtige schilderijen maakte van Hollandse landschappen en Hollandse luchten en die vooral bekend is omdat hij zelf de lijsten voor zijn schilderijen maakte en wel van het type 'als je zo'n lijst hebt, heb je geen schilderij meer nodig'. Die lijst in dit concrete geval was nodig aan restauratie toe, omdat alle vier hoeken forse kieren vertoonden. Het schilderij was op zich niet iets waar ook maar iemand aanstoot aan zou kunnen nemen, maar nu ook weer niet iets wat met de beste wil van de wereld gezien zou kunnen worden als representatief voor een belangrijke verzameling van moderne en hedendaagse kunst. Verder hing er nog een klein stilleven van Mondriaan, uit zijn vroege periode, en een groot schilderij in de trant van Gerhard Richter, maar dat bij navraag geen Richter bleek te zijn.

De eerste de beste keer, dat ik hem weer zag, begon ik een paar welgemeende complimenteuze dingen te zeggen over die Hart Nibbrig, om daarna over die Smorenberg te beginnen: dat ik die schilder eigenlijk niet kende en of hij me iets wilde vertellen over zijn enthousiasme voor de man. Ik kreeg een nietszeggend antwoord en op de volgende vraag over de conditie van de overduidelijk originele lijst, volgde een dubbelzinnig betoog over scheurtjes en spleetjes. Nu ben ik geen liefhebber van scabreuze verhalen en al helemaal niet als die verhalen verteld worden door figuren, die ik niet nog van vroeger uit mijn dispuut of de officiersmess ken, zodat ik het er maar op hield, dat ik de juiste snaar — als het ging om kunst — die avond bij Klaasje niet had geraakt.

Een aantal maanden daarna waren wij een weekend naar Parijs geweest, onder meer om naar de overzichtstentoonstelling van het werk van Mark Rothko in het Musée d'Art moderne de la Ville de Paris te gaan, waar alle tijdschriften toen bol van stonden. Op een volgend diner van de werkgeversvereniging, kort daarna, deed ik uitgebreid verslag over al het moois dat wij hadden gezien, hoe lang wij in de vrieskou hadden moeten wachten in de rij op de Avenue du président Wilson en dat die rij al begonnen was bij de Rue des frères Périer. Kortom, een keurig verhaal om aan een diner te vertellen. Klaasje maakte de indruk het nieuws gemist te hebben en concentreerde zich op wat zich op zijn bord bevond.

Nu wilde het toeval, dat juist in die weken de directie van het Rotterdams museum op de gedachte was gekomen om de enige Rothko uit hun collectie te gaan verpatsen om met de opbrengst andere, meer populistische dingen te gaan doen. Het snode plan had de krant bereikt en tot een rel van landelijke proporties geleid. Het leek mij goed om Klaasje bij het gesprek te betrekken, door hem te vragen wat hij ervan vond. Hij beperkte zich door te vertellen, dat hij van een bod op het doek had afgezien vanwege alle negatieve publiciteit. Vervolgens wendde hij zich tot de secretaris, die een Italiaanse vader had en een mobieltje met als ringtone het Italiaanse volkslied, met de vraag of hij nu eindelijk eens die hem beloofde Italiaanse onderscheiding opgespeld had gekregen.

Ik begon door te krijgen, dat Klaasje niet, of in elk geval niet met mij, in het openbaar over kunst wou praten, maar ik kon het toch niet laten om het een half jaar later nog eens te proberen. In het plaatselijke sufferdje had een verslag gestaan over een bezoek van een afvaardiging van de gemeente aan Madrid en ik had toevallig gehoord, dat Klaasje daarbij geweest was. Ik vroeg hem dus tijdens een volgend diner langs mijn neus weg, maar wel zo dat iedereen het kon horen, hoe het geweest was. Mijn sociale vaardigheden bleken erop vooruit gegaan te zijn, want Klaasje begon onmiddellijk een uiterst amusant verhaal te vertellen over hoe leuk het allemaal geweest was, met als absoluut hoogtepunt een bezoek aan het museum Thyssen-Bornemisza, waar het gezelschap door de baron en diens echtgenote ontvangen was. Iedereen raakte al gauw geboeid en toen Klaasje begon te vertellen over de barones die hem de volgende morgen opgebeld had met het voorstel nog even op zijn hotelkamer wat na te praten, hetgeen door het feit dat er een vliegtuig gehaald moest worden, niet door was gegaan, ging er zelfs een siddering van bewondering door het gezelschap en bracht de Belgische voorzitter een toast uit op zijn gezondheid.

Later vroeg Maria of ik Klaasje nog om advies gevraagd had. Ik vertelde over mijn drie pogingen; ik verwachtte een onprettig commentaar, maar dat bleef gelukkig beperkt tot de constatering, dat mensenkennis altijd al een van mijn zwakke punten was geweest.

Dat Klaasje inderdaad erg goed lag bij de gemeente, bleek toen de gemeente besloot speciaal te zijner ere een beeld aan te schaffen. De wethouder kunstzaken, eentje van Leefbaar Rotterdam, werd met het project belast. De goede man was kort daarvoor met vrouw en schoonmoeder met de caravan naar Spanje geweest en toen zij met z'n drieën op een regenachtige dag naar Bilbao waren gegaan, had het beeld van Jeff Koons voor het Guggenheim, die metershoge puppy die door een aparte constructie helemaal bedekt was met bloeiende plantjes, een verpletterende indruk op de dames gemaakt. Rotterdam moest en zou ook zo iets krijgen. De dienstreis werd geboekt, maar helaas bleek een Koons het budget ver te boven gegaan. Gelukkig bleek ene Paul McCarthy ook dit soort expliciet werk te maken en veel goedkoper te zijn. Er werd doorgereisd, de kunstenaar werd uitgebreid gebriefd over de persoon, die met het kunstwerk geëerd zou moeten worden en enige tijd later arriveerde in Rotterdam een tot zes meter uitvergrote kabouter met in zijn hand een presenteerblaadje met daarop een dildo, die volgens de kenners ontworpen was voor anaal geslachtsverkeer. De wethouder had zijn werk dus uitstekend gedaan, de naam van het kunstwerk was Santaclaus en het instrument op het presenteerblaadje was een toepasselijke verwijzing naar de manier van zakendoen van Klaasje. De gemeente heeft nog hemel en aarde bewogen het kunstwerk ergens in de openbare ruimte geplaatst te krijgen, maar dat leidde in alle gevallen tot een volksopstand. In Rotterdam is nu eenmaal sprake van een hoog percentage allochtonen, die nog niet aan dit soort decadentie gewend is, althans daar nog niet openlijk voor uit willen komen. Ook Klaasje, die er helemaal achter stond, hoewel dat in deze context misschien een minder gepast woord is, heeft nog zijn best gedaan door in bepaalde gremia een goed woordje voor het meesterwerk te doen.

Helaas zijn Rotterdammers nogal vindingrijk in het bedenken van rake, maar weinig flatteuze bijnamen. Het beeld van Ossip Zadkine, dat officieel 'De verwoeste stad' heet, kent iedereen alleen maar als 'Jan Gat', de 'Beurstraverse' wordt door iedereen de 'Koopgoot' genoemd en tot voor kort sleet 'Kabouter Buttplug' zijn dagen op de binnenplaats van het museum in afwachting van andere tijden. Iemand uit het bestuur van het museum heeft mij onlangs verteld, dat Claes Oldenburg en Thomas Schütte inmiddels hebben geprotesteerd en geëist dat hun werk niet in de nabijheid van dit beeld ter ere van de epaterende banaliteit getoond zou worden.

Wij hadden inmiddels tijd genoeg gehad om goed na te denken over wat beelden voor onze tuin zouden kunnen en moeten betekenen. Wij hadden ooit voor nogal veel geld twee antieke Engelse kalkoenen gekocht, die naast het huis op een grasveldje, met daarom heen een buxushaagje, stonden. Zij waren bijna een halve meter hoog en toen wij ze kochten al van een mooi grijs patina voorzien. Vanuit onze kleedkamer boden zij, vooral als er 's winters een beetje sneeuw op lag, een aanblik waar wij beiden elke morgen erg vrolijk van werden.

Die kalkoenen hadden overigens tot een, nog steeds voortdurende, discussie geleid over de functie en noodzaak van sokkels. Maria vindt van niet, een goed beeld heeft geen sokkel nodig, als het maar op de juiste plaats staat. Ik ben van mening dat dat voor de meeste objecten en installaties wel opgaat, maar dat ook een heel goed beeld juist iets extra's krijgt door een perfecte sokkel. Tot mijn onuitsprekelijk geluk kreeg ik van Maria toestemming voor een klein sokkeltje van vijftien centimeter hoog onder elke kalkoen; de twee zijn uiteindelijk mee gegaan naar ons huis in Frankrijk, waar zij ook weer in hun eigen weitje terecht gekomen zijn, maar zij hebben daar nog steeds geen sokkel gekregen.

Daar ging het ons nu even niet om; wij vonden dat elke boerderij gekenmerkt wordt door oud roest, dat bij een gewoon woonhuis niet voorkomt: roestige ploegen, oude troggen en vaten, soms ook de as van een kar. Ik had ooit in de roesthoop van de hovenier de resten van een oud Engels walsje, dat oorspronkelijk diende om het gravel van een tennisbaan te pletten, gevonden en laten restaureren. Na een hoop werk zag het er weer goed uit, maar was net iets te zwaar om alleen te hanteren.

Wij waren het er over eens dat wij die sfeer van roestig metaal moesten vasthouden en dan liefst in een vorm, die de suggestie zou wekken, dat het ging om iets uit het boerenbedrijf, maar dan zo abstract, dat ook weer niemand zou kunnen zeggen waarvoor het object gediend had. Natuurlijk vielen beelden als die van Shinkichi Tajiri, afgezien van de prijs daarvan, buiten de orde als te expliciet en te weinig agrarisch.

Het eerste waar we naar keken was metalen straatmeubilair van de Rotterdamse kunstenaar Mathieu Ficheroux, dat er uit zag alsof iemand te lui was geweest om het in een grof vuilcontainer te deponeren en het daarom maar gewoon op het trottoir had achtergelaten. Het was bekend dat deze objecten inmiddels weer uit het straatbeeld waren verdwenen, omdat ze er zo provocerend uit hadden gezien, dat ze binnen de kortste keren door de straatjeugd waren vernield, hetgeen voor een kunstwerk natuurlijk best een compliment is, omdat niet van elk werk gezegd kan worden dat het sterke emoties oproept.

Wij kenden Ficheroux toevallig al heel lang. Maria was na haar studie een tijdje lerares Nederlands aan een Pabo geweest, toen dat vak daar nog werd onderwezen. Op zekere dag kreeg zij vakantiegeld, een fenomeen waarmee zij van huis uit niet bekend was en waarvan zij nut en noodzaak trouwens ook niet inzag. Er werd besloten er dus maar kunst voor te kopen. Samen met een neefje van Maria gingen wij naar de Artotheek, waarvan het neefje de directrice kende en die zo vriendelijk was op een avond speciaal voor ons de boel open te laten, zodat wij goed en ongestoord zouden kunnen rondneuzen. Wij wisten niet dat niet alles te koop maar soms alleen te leen is, hetgeen wij geen prettig idee vinden omdat wij zeker weten, dat wij ons aan onze keus zullen gaan hechten. Uiteindelijk werden wij enthousiast voor een gouache van een ons op dat moment onbekende Mathieu Ficheroux, die wel gekocht kon worden. Het vriendinnetje van het neefje zei: 'Ik ken Mathieu goed, ik zal hem even bellen, zal hij leuk vinden.' Hij vond het inderdaad wel geinig en drie kwartier later begonnen wij met zijn vieren Ficheroux en zijn vriendin te helpen hun voorraad bier en wijn op te drinken, wat toch nog een aantal uren in beslag nam. Wij kochten ook nog een tekening; zowel die gouache als die tekening behandelden overduidelijk het thema, dat Ficheroux zijn hele leven trouw gebleven is: blote vrouwen, maar dan wel abstract weergegeven. Later zijn wij nog wel eens bij hem thuis geweest en op zijn atelier in de Lambertusstraat.

Ik belde hem op en vroeg hoe het nu precies zat met dat straatmeubilair. Hij bevestigde het tragische verhaal en vertelde er meteen bij dat ook de gietmallen per ongeluk verloren waren gegaan. Hij gaf ons dus heel weinig kans, tenzij de gemeente ergens nog iets in een magazijn had staan. Omdat de jacht nu zo langzamerhand spannend begon te worden, belde ik, omdat de gemeente buitenstaanders altijd met een kluitje in het riet stuurt, iemand die ik kende en die de baas was van een of andere gemeentelijke dienst. Deze was bereid persoonlijk polshoogte te gaan nemen, maar ook hier bleken alle sporen dood te lopen. Ik kreeg niet het idee, dat Ficheroux ontroostbaar was.

In de jaren, dat wij met onze tuin bezig waren, waren beeldentuinen in Nederland steeds populairder geworden. Iemand die zou willen, zou in de zomer gemakkelijk elk weekend onder de pannen kunnen zijn. Het werd helaas ook steeds drukker en voller en ik heb mij wel eens door een socioloog laten uitleggen dat museum- en galeriebezoek de plaats van kerkbezoek had ingenomen. Het kan natuurlijk geen mens kwalijk genomen worden, dat het luisteren naar een mummelende pastoor of een wauwelende dominee voor iets beters wordt ingeruild, maar wij vinden het toch spijtig dat de kerken niet beter hun best hebben gedaan de gelovigen binnenboord te houden, zodat wij niet toenemend door hordes ex-gelovigen voor de voeten worden gelopen.

Al met al hadden wij in de loop der jaren toch wel heel wat mooie of interessante dingen gezien en ook wel wat gekocht. Speciaal tevreden waren wij over drie bij elkaar horende objecten van een zekere Henk Slomp: drie vierkante, spits toelopende torentjes van met oud dakdekkerszink bekleed hout, waarin repen van oude spiegels waren gevat. De punt van elk torentje bestond uit een zich openende zinken bloem. De kleinste was bijna één meter vijftig en de grootste bijna twee meter; het verschil zat in de mate waarin de bloem zich had geopend. Het geheel, dat natuurlijk niets te maken had met het 'Lijden der Mensheid', deed het buitengewoon aardig in de cirkel in onze cottage tuin, terwijl de naam 'hemelspiegels' naar onze smaak ook heel toepasselijk was.

Zoals gebruikelijk kregen wij elk voorjaar informatie over de galerieën waar de kunstenaar dat jaar weer te bewonderen was. Uiteindelijk bleek hij in zijn eigen tuin in het noorden van Groningen voor zichzelf begonnen te zijn, de kunst van het lassen onder de knie gekregen te hebben en zich te hebben toegelegd op het bewerken van Corten-staal, dat zoals iedereen weet onmiddellijk met een roestlaag bedekt wordt. Gezien onze preoccupatie met oud roest dus alle reden om er eens heen te gaan. Nu is Groningen vrij ver en het regent en waait er meestal, dus als we eens zin hadden in een flinke tocht werd het toch meestal gewoon Brussel of Parijs. Uiteindelijk kwam het er, toen er een paar hele mooie zonnige dagen werden voorspeld, toch van.

Er bleken best aardige dingen te staan van Henk en van een aantal anderen. Wij kochten iets (van Corten-staal) en toen wij op het terras van Henk en zijn vriendin nog wat na zaten te filosoferen, vertelde ik over drie objecten die wij tien jaar daarvoor hadden gezien op de expositie waar ook zijn 'hemelspiegels' hadden gestaan en die kennelijk zoveel indruk op ons hadden gemaakt, dat zij ons nog levendig voor de geest stonden. Het betrof dus, toevallig ook drie, kegels van ruim twee meter hoog en met voeten van twee à tweeënhalve meter. De kegels bestonden uit een geraamte van betonstaal, dat omwikkeld was met prikkeldraad. Het ging daarbij niet om mathematisch zuivere kegels, maar elk had een knik of een draai, zodat ze leken op de punt van de punthoeden waarmee heksen nogal eens afgebeeld worden. Maria had het dan ook altijd over die 'heksenmutsen'. Ik ging er echt even voor zitten en als schilderachtig detail vertelde ik erbij dat in een van die heksenmutsen een dood koolmeesje had gehangen, dat bij het aanvliegen kennelijk niet goed gemikt had.

Henk bleek precies te weten waar wij het over hadden: werk van een goede vriend van hem, die een paar kilometer verderop in het dorp Usquert woonde, waar hij zich hoofdzakelijk met land-art bezig hield. Hij toverde een boekje met afbeeldingen van het werk van deze René de Boer te voorschijn, waaruit bleek, dat de heksenmutsen officieel 'Ingewikkelde Kegels' heetten. Henk wist ook te vertellen, dat de kegels verscheidene keren op exposities gestaan hadden, maar dat ze nog steeds niet verkocht waren. Hij dacht ook, dat De Boer er heel graag vanaf wilde, al was het alleen maar vanwege de ruimte die ze innamen. Toen Maria en ik de heksenmutsen weer zagen op een foto in het boekje, waren wij er onmiddellijk weer helemaal van overtuigd, dat dit het werk was dat onze boerentuin compleet zou maken. De drie kegels waren dermate groot, opvallend en provocerend, dat wij iedereen die op bezoek zou komen, ver de tuin in zouden kunnen lokken onder het voorwendsel: ' We moeten je wat laten zien en we zijn benieuwd wat je ervan vindt.'

Henk was inmiddels weer in zijn rol van galeriehouder getreden en rook handel. Hij haalde zijn mobieltje, belde waar wij bij zaten De Boer, en begon te pingelen. De koop werd gesloten en de kegels zouden worden gebracht, zodra het gelukt zou zijn om ze uit de opslag te halen, iets waar de Boer nogal tegen op zag.

Twee weken later arriveerden twee Groningse heren in een forse, Japanse pick-up, met aanhanger, waarop een onwaarschijnlijke partij metaal en prikkeldraad lag. De heren roken, behalve naar zware shag ook naar vers doch eerlijk werkmanszweet, wat niet vreemd was, omdat zelfs met drie man één kegel nauwelijks te hanteren was, zoals na de koffie bleek. Uiteindelijk kostte het twee uur om de kegels op hun plaats te krijgen, althans op de plaats die na uitgebreide onderhandelingen tussen maker, galeriehouder en eigenaar werd vastgesteld, waarbij ik mij geen moment de illusie maakte dat die plaats ook de plaats was die Maria, die er niet bij was omdat ze iets anders te doen had, voor ogen had. Later bleek dat de kegels ook konden rollen, wat in mijn eentje goed te doen was, zodat de nadere instructies van Maria geen problemen opleverden.

Na gedane arbeid was het natuurlijk hoog tijd voor een borrel en een broodje. Ik had ooit van de partner van onze dochter, die Friese roots heeft, een kruik Beerenburg van de Weduwe S. Jouwstra & Zonen te Sneek gekregen. Volgens mij is Beerenburg een primitief drankje, gemaakt voor lieden die in lichtelijk beschonken staat naar zoiets afstompends als schaatsen kijken, maar ik hoopte dat de gasten er flink wat van tot zich zouden nemen, zodat ik een goede beurt zou maken bij degene van wie ik die kruik had gekregen. Helaas zeiden Henk en René dat zij uit Groningen kwamen, dat alleen Friezen deze viezigheid dronken en of ik niet iets beters onder de kurk had. Dat had ik, namelijk een kruikje met uitstekende zeer oude genever 'Loyaal aan traditie' van distilleerderij De Ooievaar anno 1782 te Amsterdam. De stemming werd steeds beter, René vertelde spannende verhalen over galeriehouders, die over hun theewater gingen als zij de heksenmutsen voor het eerst te zien kregen. Hij gaf mij bovendien een blik gekookte lijnolie en een kwast, met de opdracht zijn schepping daar eenmaal per jaar mee te bewerken, tegen de roest.

De heksenmutsen staan nu in Frankrijk, waar ze als gevolg van de mistral absoluut niet roesten. Trouwens ook de verhuizer ging over zijn theewater, toen hij zag wat er ook nog in de verhuiswagen moest.

❧

Wij hebben inmiddels wel zoveel zelfkennis dat wij weten dat wij tot het slag mensen behoren dat een lage drempel heeft als het gaat om ergens een punt achter te zetten en wij houden elkaar wel eens voor, dat de ander soms wel erg snel en rigoureus iets voor gezien houdt.

Niet dat wij daar echt mee zitten en het hangt er natuurlijk ook wel vanaf waar het in een concreet geval om gaat. Een huisdier, dat op is en het te kwaad heeft, moet naar de dierenarts voor een spuitje. Als bepaalde kennissen vervelend worden, is de oplossing ook niet moeilijk. In elke functie komt een moment dat er mee stoppen en ergens anders heengaan, in het belang van alle partijen, sterk aan te bevelen is. Problemen ontstaan eigenlijk pas, als wel duidelijk is dat iets echt af of op is, maar als het tegelijk volkomen onduidelijk is wat er daarna moet of zal gebeuren. Iedereen die de film La belle noiseuse uit 1991 van Jacques Rivette gezien heeft en zich niet te zeer door Emmanuelle Béart als naaktmodel heeft laten afleiden, wat uiteraard wijst op een sterke persoonlijkheid, heeft zich kunnen inleven in de doodsangst van de hoofdpersoon, de schilder, voor het zwarte gat ná het ultieme meesterwerk.

Wij waren voor ons gevoel nu op dat kritische punt aan de rand van het zwarte gat aangeland. Het was een feit dat de tuin nu toch wel af was en het was ondenkbaar, dat wij tot onze dood alleen maar blij en zelfgenoegzaam naar het resultaat zouden gaan zitten kijken. De gedachte dat wij samen met de tuin oud zouden worden, zonder dat er nog iets spannend zou gebeuren, was ondraaglijk en leverde ons beiden een acute aanval van claustrofobie op. Anderzijds waren wij ook wel weer zo aan de tuin verslingerd, dat wij smoesjes zochten om de beslissing met goed fatsoen nog even uit te kunnen stellen.

Uiteindelijk vonden wij dat er geen enkele reden was om nu al flink te doen en we besloten de beslissing pas over twee jaar te nemen, als ik definitief met werken zou zijn gestopt en mij eindelijk ongestoord zou kunnen wijden aan mijn echte roeping, die ik al mijn hele leven had gehad: het zijn van gentleman of leisure.

## Ik ben u nog vergeten te zeggen...

Wij wonen nu al weer een paar jaar in de Provence, om precies te zijn, ons huis ligt halverwege de eerste helling van de Monts de Vaucluse, ten oosten van Avignon. Bovenaan de helling, als de weg weer naar beneden gaat richting La-Roque-sur-Pernes, is er een spectaculair uitzicht op de Mont Ventoux.

Vanaf ons terras zien wij links en rechts een stuk van een dak of de bovenverdieping van andere parttime paradijsjes, bewoond door buitenlanders of Parijzenaars, die sinds de aanleg van de TGV, waardoor de reistijd van Parijs naar Avignon teruggebracht is tot iets meer dan twee uur, in grote getale naar het zuiden trekken.

Het uitzicht recht vooruit is nog ruimer dan ons uitzicht in Rotterdam: eerst het begin van de Luberon en het dal van de Durance en dan in de verte de Alpilles. Als het donker is, zien we aan de overkant van het dal de lichtjes van Saint-Rémy-de-Provence.

Toen wij het huis kochten, realiseerden wij ons het toeval niet, maar 's avonds bij het laatste glas op het terras, doe ik toch wel eens een poging mij in de gedachtewereld van mijn oom Joost te verplaatsen.

Wij voelden ons al gauw thuis in Frankrijk, zoals andere liefhebbers van het land, die het met ons weten te waarderen dat Fransen, in schril contrast tot Nederlanders, zowel erg beleefd als zeer gereserveerd zijn.

Het enige waar we aan moesten wennen is, dat Zuid-Frankrijk zo'n enorme aantrekkingskracht heeft op een aparte categorie rare Nederlanders, een bonte verzameling begin-vijftigers, allemaal met een verse partner, allemaal voortijdig gestopt met werken na een reorganisatie of een zakelijk ongelukje, die er van dromen een bed & breakfast of iets dergelijks vaags te beginnen, meestal met geldgebrek en altijd gezegend met een onlesbare dorst.

Maria koestert een kaartenbak met daarin fiches met de gegevens van haar dierbaren: enkele familieleden, wat vrienden en vriendinnen en een stel kennissen. Af en toe loopt zij eens door die bak en de fiches van iedereen die niet meer aan haar criteria voldoet, worden gelicht, verscheurd en in de prullenbak gegooid. Gezien de nauwgezetheid waarmee dit gebeurt, is het een godswonder, dat mijn fiche nog steeds in haar kaartenbak te vinden is. In het begin vond ik het wel een beetje hardhandig en had ik er ook wel eens moeite mee om iemand uit te leggen, dat hij of zij naar Maria's limbo was verbannen. Maar alles went en duidelijkheid heeft ook weer zo haar charmes.

Van de speciale categorie, die wij nu leerden kennen werden nauwelijks nieuwe fiches aangemaakt, ondanks de noodzaak om bij zo'n streng selectiebeleid regelmatig voor nieuwe aanwas te zorgen.

Degene die ons aan ons huis geholpen had, was het prototype van deze groep. Joop was naar zijn zeggen eigenlijk per ongeluk in het vastgoed terecht gekomen, waarbij wij er altijd van uitgingen, dat hij deze uitspraak letterlijk bedoelde. Zijn eigenlijke beroep, althans het voorlaatste, elfde, ambacht, dat hij voor wat hij noemde de makelaardij had uitgeoefend, was het ontwerpen van spectaculaire keukens voor bewoners van de Amsterdamse grachtengordel. Daarvoor was hij onder meer vrachtwagenchauffeur, barkeeper en importeur van Finse blokhutten geweest. Aan zijn voorlaatste beroep was abrupt een eind gekomen toen hij op een regenachtige winteravond, na het diner, nog even wat was gaan werken en zichzelf daarbij met de cirkelzaag van drie vingers had ontdaan. Hij was rechts en het waren vingers van zijn rechterhand, zodat hij de tekentafel verder wel kon vergeten. De broer van zijn vriendin, die na zijn bedrijfje te hebben verkocht al eerder in de Provence was gaan wonen, raadde hun aan Nederlanders bij het zoeken naar huizen bij te gaan staan. Joop en zijn vriendin, die model had kunnen staan voor Agnes van Peter van Straaten, waren meteen helemaal enthousiast, vooral ook omdat zij gratis in een mooi huis van die broer, dat toch tijdelijk leeg stond, konden gaan wonen. Ook Agnes had geen speciale ervaring met de handel in onroerend goed; waar ze dan wel ervaring mee had bleef altijd een beetje onduidelijk, meer dan het wonen in een commune van kunstzinnige lesbiennes en het geven van instructie in antroposofische voetmassage werden wij in elk geval nooit gewaar.

Joop en Agnes waren zoals gezegd geen echte makelaars en zij gaven zich daar in Frankrijk ook zeker niet voor uit, omdat dit in Frankrijk niet aan te raden is, gezien het feit dat Franse autoriteiten niet van grappen en zeker niet van Nederlandse brutaliteiten houden. Maar in Nederland lag dat natuurlijk helemaal anders, zij adverteerden af en toe in Nederlandse tijdschriften waarin het leven in Frankrijk wordt verheerlijkt en stonden ook regelmatig op beurzen voor tweede huizen in Frankrijk. De naam van hun bedrijfje klonk reuze Frans en hun logo, dat gepikt was van een gemeente in les Bouches-du-Rhône, was buitengewoon smaakvol.

De eerste huizen waarmee het duo kwam aanzetten leken nergens op en waren zonder enige twijfel de winkeldochters van de plaatselijke Franse makelaars . Bovendien was kaartlezen niet hun sterkste punt, zodat zij, terwijl wij braaf achter hen aan reden, zeker drie huizen (waar zij zelf klaarblijkelijk ook niet eerder waren geweest) zelfs nooit hebben kunnen vinden. Wij waren dan ook allang in een andere streek verder aan het zoeken, toen Agnes op haar dagelijkse wandelingetje om zich te ontdoen van de alcoholdampen van de vorige avond, precies het huis vond waarnaar wij op zoek waren en dat nog niet bij de plaatselijke makelaars in de verkoop was gegeven. Joop had ontegenzeggelijk voldoende Amsterdamse flair om de verkopers, een Frans echtpaar, meneer en mevrouw Q. genaamd, van in de zeventig, dat merkwaardigerwijs ook nog aan het scheiden was, over te halen het huis zo snel mogelijk aan ons te verkopen.

Helaas was het animo van het duo voor de tweede hoofdtaak van de door de koper ingeschakelde makelaar, het afdingen op de prijs, nihil. Zij waren namelijk als de dood dat de verkoper er een echte Franse makelaar bij zou halen en dat hun rol dan binnen de kortste keren uitgespeeld zou zijn. Als wij met argumenten kwamen om wat van de prijs af te doen, gingen zij niet aan het werk, maar deden hun uiterste best ons uit te leggen, dat wat wij geconstateerd hadden in Frankrijk heel gebruikelijk was. Anderzijds, als de verkoper met wensen kwam werden die braaf en met een positief advies aan ons overgebriefd. Pas toen wij dreigden, dat de hele koop niet door zou gaan als Joop niet tenminste zijn eigen beloning had terugverdiend, bleek er toch van alles mogelijk te zijn.

Uiteindelijk liep het pas gesmeerd toen wij een Nederlandse advocaat, die in Parijs werkte en een kantoor in een uiterst prestigieuze buurt had, in de arm namen en die zowel op de verkopers, die oorspronkelijk uit Parijs kwamen, als op hun notaris (in Frankrijk hebben beide partijen vaak hun eigen notaris) de gewenste indruk maakte. Uiteindelijk kwam het allemaal op zijn pootjes terecht en kregen wij precies wat wij hebben wilden, maar de extra complicaties die bij het in zee gaan met Nederlanders type Joop en Agnes, die niet beschikken over een carte professionelle, hoogst waarschijnlijk zijn, zouden wij een tweede keer toch trachten te vermijden.

Joop was dus duidelijk niet het type, dat ik vroeger ooit als medewerker zou hebben aangenomen en Agnes was ook niet het type, dat ik, als Maria eens geen zin had om mee te gaan, meegenomen zou hebben naar een ladies night van mijn Rotaryclub, maar het waren absoluut aardige mensen, leuk om ze af en toe te eten te hebben of te bezoeken. Ze kenden alle Nederlanders en Engelsen uit hun categorie binnen een straal van vijftig kilometer in en rondom ons stadje, hetgeen vooral in het begin erg handig was, omdat dan snel achterhaald kon worden of bepaalde werklui wel of niet bruikbaar waren. Verder was het verstandig om Joop, Agnes en de rest van de club een beetje en vooral in het weekend te mijden, omdat het onder hen de gewoonte was elkaar elke zondag om half twaalf te treffen in Café de France aan het kerkplein, om in de loop van de middag naar Longchamp te gaan en daarna met een groepje diehards bij iemand thuis verder door te zakken. Café de France is de stamkroeg van de alcoholische Nederlanders en Longchamp de waterplaats van de Engelse alcoholisten; beide groepen kunnen elkaar niet mislopen. De eerlijkheid gebiedt overigens te zeggen, dat op die zondagen ook wel zakelijke onderwerpen worden doorgenomen, zoals de vraag of de Provence al rijp was voor een salad bar of de vraag of er een markt is voor in China vervaardigd Engels antiek.

Gelukkig gebeuren er weinig ongelukken, er viel wel eens iemand van de trap, maar dat liep meestal goed af. Joop en Agnes gingen ook altijd te voet naar huis, omdat de gendarmerie tegenwoordig echt wel controleert en daarbij raakten zij elkaar nogal eens kwijt. Het gebeurde dan ook vaak dat een van de twee pas de volgende morgen tot verbazing van de ander boven water kwam, omdat hij of zij aan de kant van de weg, tegen een boom, in slaap gevallen was. Meestal waren haar tas of zijn portefeuille dan wel verdwenen, maar ook dat is eenvoudig op te lossen. Het voorval was natuurlijk niet geschikt om aan de gendarmes voor te leggen, dus het bleef altijd bij een paar telefoontjes om de oude bankpasjes te blokkeren en nieuwe te bestellen. Alleen bij de gemeentesecretarie in Nederland werd wat burgerlijk gedaan, toen het zevende paspoort in vier jaar werd aangevraagd.

Hun grootste probleem was eigenlijk nog het op tijd komen als een van beide eens naar Nederland moest. Zover wij weten hebben zij geen enkel vliegtuig in Nice ooit gehaald en de keer dat Agnes alleen met de TGV naar Nederland ging, lukte het Joop niet om, na haar koffers in het bagagerek gepropt te hebben, de trein weer tijdig te verlaten, zodat zij gedwongen waren tot Parijs elkaar gezelschap te houden.

Bij Nederlanders was volgens Joop altijd het probleem, dat de gestage stroom kijkers te weinig kopers bevatte en op zeker moment, toen het kabinet-Balkenende I aantrad dat ineens de ondergang van de Nederlandse economie begon te prediken, werd de stroom een heel dun straaltje. Natuurlijk snapte iedereen wel dat dit pure volksverlakkerij van die regering was, met het doel er bepaalde plannetjes door te drukken, maar helemaal gerust was nu ook weer niemand, omdat er in Den Haag voldoende wereldvreemde lieden rondlopen, die in staat zijn iets onpraktisch te bedenken, dat de burger alleen maar op kosten jaagt. Trouwens ook het nieuwe ziektekostensysteem zorgde voor een tijdelijke kink in de kabel, omdat niemand, die het plan had Nederland geheel of gedeeltelijk te verlaten, lange tijd snapte hoe de vork in de steel zat en dus voor de zekerheid maar even afwachtte.

Het was toen ook snel gedaan met de 'makelaardij' en dus met de financiële reserves van de firma Joop en Agnes. Agnes

hield het al snel voor gezien, ook al omdat zij een beetje uitgekeken was op Joop en verdween weer naar Nederland om
haar oude beroep in de antroposofische voetmassagebranche
weer op te vatten. Joop probeerde de inboedel te slijten op
rommelmarkten en aan opkopers. Dat lukte niet erg en het
meeste verdween uiteindelijk naar de vuilstort. Als allerlaat-
ste bezit werd de auto van de firma, die uitsluitend uit louter
genade nog reed, verkocht aan een paar Algerijnen op de
openluchtautomarkt achter het postkantoor. De opbrengst
was gelukkig voldoende voor een enkele reis tweede klas naar
Amsterdam; in de Vaucluse is het duo nooit meer gesigna-
leerd.

Over het huis en de tuin zijn wij ook na een paar jaar nog tevreden; het huis is alleen een beetje aan de grote kant en de
tuin is toch nog een halve hectare, maar daarvan is het grootste gedeelte gelukkig een olijfboomgaard. Het was bepaald
een zeer feestelijk moment toen wij onze eerste oogst bij de
molen tot onze eigen olijfolie konden laten verwerken.

Het huis is veertig jaar geleden gebouwd in een moderne
Zuid-Franse stijl. In de helling van de berg zijn zeven terrassen gemaakt en in en op drie van die terrassen is dan het huis
gezet. Onze kleinkinderen zijn enthousiast over alle trapjes
en treetjes. De architect, die indertijd de tuin ontworpen
heeft, heeft op die manier een geheel met nogal krachtige lijnen bereikt. Het enige wat wij dan ook doen, is die structuur
benadrukken, door hier en daar wat weg te halen of aan te
planten. Het is van mei tot oktober te warm om echt in de
tuin te werken, zodat veel meer doen ook geen goed idee zou
zijn.

Er zijn natuurlijk ook wel wat Nederlanders van het soort waarmee wij ook in Nederland zouden hebben kunnen omgaan en die net als wij hun tijd verdelen over hun huis in de Provence en hun appartement of huis in de Nederlandse grote stad.

De gemeenschappelijke hobby is zonder enige twijfel het volgen, via de schotel, van de Nederlandse politiek. De gebeurtenissen onder de kaasstolp zijn erg hilarisch, als zij gevolgd worden van onder een parasol op een Zuid-Frans terras. Het begrip calvinisme is in Frankrijk uitsluitend en met enige moeite in de encyclopedie terug te vinden, zodat het wel verstandig is af en toe even naar Nederland te gaan om de draad niet helemaal kwijt te raken. Gezien onze achtergrond wordt ons vaak gevraagd om uitleg te geven over de fratsen van de gereformeerde mannenbroeders die de Nederlandse politiek onveilig maken.

Om geen verkeerde indruk te wekken, er is onder ons zeker sprake van een groot gevoel van dankbaarheid jegens de Staat der Nederlanden: door een van de eigenaardigheden van het Nederlandse belastingsysteem wordt een huis in Frankrijk in Nederland niet belast, terwijl Frankrijk zich, zoals het een geciviliseerd land betaamt, zeer bescheiden opstelt, waardoor de besparing ten opzichte van belasting op vermogen in Nederland voldoende groot is om kosten zoals bewaking, elektra, verzekering, onderhoud en dergelijke mee te dekken. Niemand gelooft dit, als hij het voor de eerste keer hoort en onze vrienden en wij hebben ons allemaal wel vijf keer laten uitleggen, dat dit geen vergissing is maar het gevolg van een verdrag tussen Nederland en Frankrijk. Iedereen is het er hartroerend over eens, dat je met zulke belastingverdragen geen Europese grondwet meer nodig hebt.

Helaas wordt ieders levensgeluk enigszins vergald door één grote, gezamenlijke frustratie. Onze groep is oud genoeg om nog goed Frans gehad te hebben op de middelbare school en werkelijk iedereen is naar Frankrijk getrokken met de ambitie om nu eindelijk eens vloeiend Frans te leren. Dat gaat helaas ondanks privélessen, cursussen, het lezen van Le Figaro, woedeaanvallen en hete tranen niet lukken. Dat ligt aan de Fransen. Als bijvoorbeeld in de bakkerij om een gesneden pain de campagne gevraagd wordt, 'tranché', dat stelt de bakkersvrouw de vraag 'en tranches?'. Vraagt men daarentegen om een pain de campagne 'en tranches', dan luidt de vraag 'tranché?'. Zelfs als men door heeft dat het niet gaat om het verbeteren van de buitenlander, maar om een geraffineerde vorm van wellevendheid, blijft het fenomeen het onplezierige gevoel opleveren te weten ernstig tekort te schieten bij dit spel der synoniemen.

🐒

Laatst vroeg Maria:

'Hoe lang gaan we hier eigenlijk nog mee door? Ik bedoel, we zouden dit ook kunnen verkopen en nog eens ergens anders gaan kijken. We zijn veel te jong om niet nog wat overhoop te halen.'

Deze vraag zat er natuurlijk al lang aan te komen. Het lukt in vijf jaar echt wel om de Provence onder de knie te krijgen en ook van Marseille en Avignon is het spannende na vijf jaar een beetje af. Het klimaat, vooral de mistral, heeft zo zijn voor- en nadelen. Wij vinden de mistral—de wind waar Vincent van Gogh zo slecht op reageerde—geen probleem. Het is als de wind waait onmogelijk om buiten te zitten, maar het is dan wel kraakhelder en zonnig, een soort natuurlijke lichttherapie. Helaas kiezen onze gasten, waaronder onze kinderen, meestal de verkeerde week, waardoor de populariteit van ons huis als vakantieadres een beetje tegenvalt.

Waar het natuurlijk echt om ging, was die oude nieuwsgierigheid naar wat zich achter de einder bevindt en de behoefte aan weer een nieuwe uitdaging of in elk geval op zijn minst een nieuw huis met de mogelijkheid van een nieuwe verbouwing.

Ik probeerde nog wat rationele argumenten aan te voeren om toch te blijven, maar Maria zei:

'Schei nou uit, ik voel met niet gelukkig als ik niet nog wat te dromen heb en als je eerlijk bent geef je toe, dat jij net zo in elkaar zit.'

༄

Ik ben u overigens vergeten te zeggen, dat wij tot nog toe gelukkig geen gelegenheid hebben gehad achter zo'n tweedehands bovengronds grafkapelletje aan te gaan.

'De Gemene Gratie' 1ᵉ druk 2009
© 2009 La Djebilette B.V.
Een uitgave van Ad. Donker, Rotterdam

*Niets uit deze uigave mag op enigerlei wijze worden verveel-*
*voudigd en/of openbaar gemaakt zonder voorafgaande*
*schriftelijke toestemming van de uitgever*

Verspreiding in België:
Uitgeverij C. de Vries-Brouwers bvba, Antwerpen
Omslagontwerp en opmaak binnenwerk:
Bart Oppenheimer, Rotterdam
Kunstwerk voorplat:
René de Boer, *Ingewikkelde kegels*, 1992

ISBN 9789061006312
NUR 320